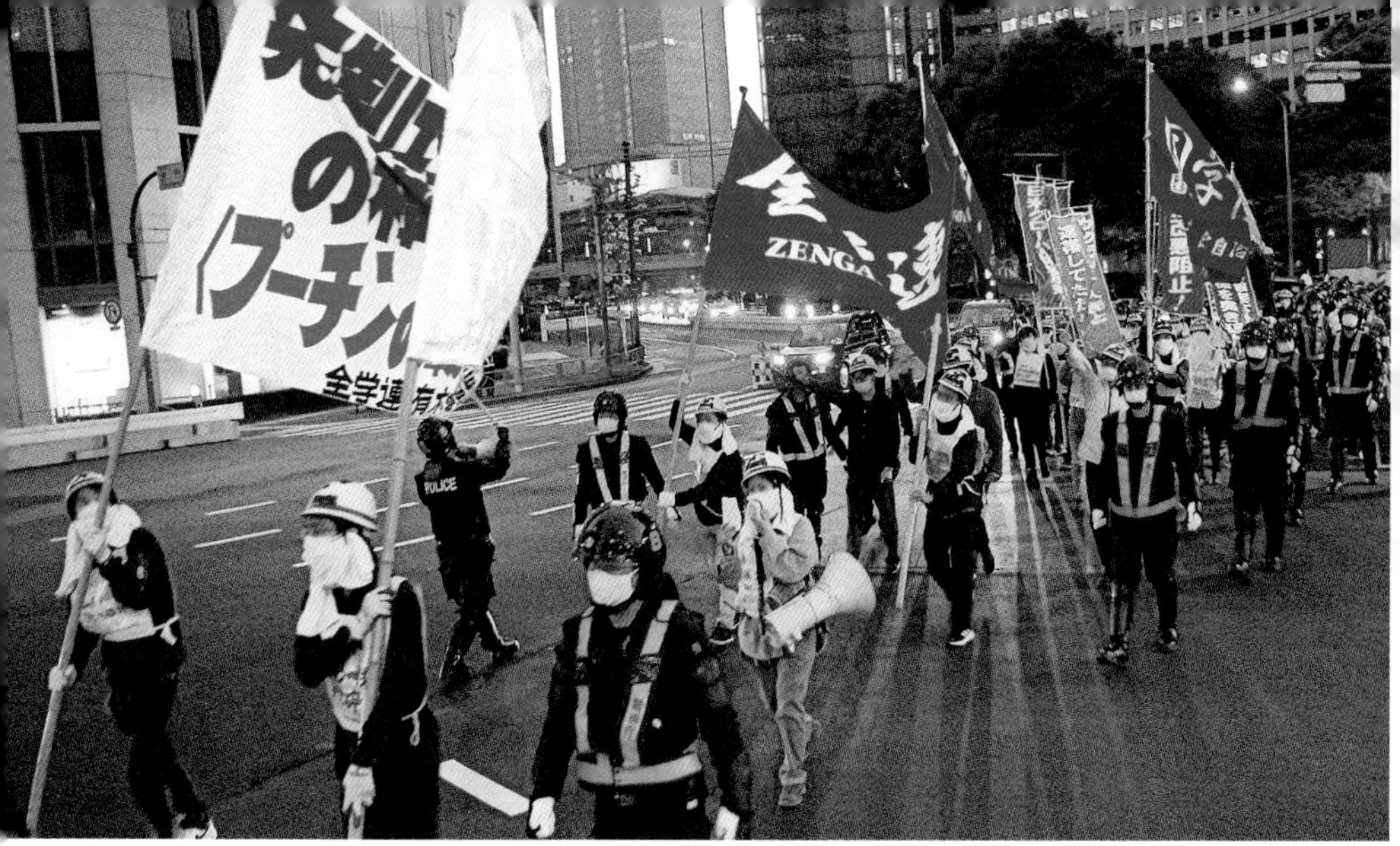

「改憲阻止！ 大軍拡反対！」全学連が首都中枢を席巻（４月22日）

改

イナ反戦の炎

「憲法大集会」で闘う学生が「ファシズム反対」の檄（５月３日、東京・有明）

全学連と反戦青年委員会が首都を席巻（2・24）

首都圏と琉大の闘う学生が労働者・市民と共に侵略者プーチンを弾劾（2・24日比谷野音）

ウクライナ侵略一年　〈プーチンの戦争〉粉砕に起つ

北海道の労・学が露総領事館（右）に怒りの拳（2・26、札幌市）

東海の労・学が名古屋市街をデモ（2・26）

九州の労・学が福岡市天神で決起（2・24）

関西の闘う学生が露総領事館に弾劾の嵐（2・24豊中市）

沖縄の労・学・市民が那覇市をデモ（2・26）

「改憲・大軍拡反対」集会で闘う金大生が奮闘（3・19、金沢市）

改憲・大軍拡阻止、原発再稼働阻止に起つ

「改憲・大軍拡阻止！」労・学統一行動（3・12、那覇市）

「原発再稼働阻止！」関西の闘う学生が労働者・市民とデモ（3・5、大阪市）

「川内原発運転延長反対」鹿大生が奮闘（3・11、鹿児島市）

露大使館に抗議する全学連の勇姿を『コモンズ』誌がコラージュ（1・10付）

「ソツィアルニィ・ルフ」が東京の2・24労学統一行動を紹介（下段右の二枚、3・4付）

ウクライナの闘う左翼と熱い連帯

――「ウクライナ連帯行動世界週間」――

（本文35頁を参照）

「ウクライナ連帯ヨーロッパ・ネットワーク（ＥＮＳＵ）」が紹介した日本各地の闘い
（上段左から福岡、札幌２枚、名古屋、下段左から那覇２枚、大阪）

「バルセロナはウクライナとともに」（2・24、スペイン）

「ウクライナに勝利を！」（2・25、ロンドン）

「労組はウクライナのレジスタンスを支援する」（2・25、パリ）

「STOPプトラー」のプラカード（2・25、ジュネーブ）

新世紀

第 325 号（2023年7月）

The Communist

帝国主義打倒！
　スターリン主義打倒！
　　万国の労働者団結せよ！

2023年 7 月　No.325　目 次

新世紀

日本革命的共産主義者同盟 革命的マルクス主義派 機関誌

アジア太平洋版NATO構築のための G7広島サミット反対

五月十九日に、米・日・英・仏・独・伊・加など各国の権力者が広島の地に集結しG7サミットを開催しようとしている。

＜米・中激突＞下で現代世界が熱核戦争勃発の危機に突入しているまっただなかで、「議長国」日本の首相・岸田文雄は、バイデン政権とともに日米核軍事同盟の飛躍的強化に血道をあげている。「昨日のウクライナは明日の東アジア」などとうそぶきロシアのウクライナ侵略を最大限に利用しながら、歴代自民党政権が策してきた大軍拡と日米軍事同盟の強化、憲法改悪などの画歴史的な大攻撃を一挙になしとげようとしているのが岸田なのだ。

それだけではない。「温暖化防止」だの「カーボン・ニュートラル」だのという今サミットでの「首脳宣言」を大義名分として、岸田政権は、原発・核開発をあくまでも推進しようとしている。全世界的に核軍拡競争が激烈化し、いまや韓国権力者の内部からも北朝鮮に対抗するための核兵器保有の要求が高まっている。こうしたなかで、日本の独自核武装の野望をもたぎらせているのが岸田なのだ。「安倍さんもやれなかったことを俺はやる」などとうそぶきながら。

この岸田を頭とする日本型ネオ・ファシズム政権の極反動攻撃を断じて許すな！

わが同盟を先頭とするたたかう労働者・学生は、反戦反安保・改憲阻止の闘い、また、ウクライナ反戦の闘いを日夜わかたず創造している。四月二十二日、全学連のたたかう学生は、「先制攻撃体制の構築阻止」「憲法改悪阻止」「〈プーチンの戦争〉粉砕」を高だかと掲げて国会・首相官邸・アメリカ大使館にたいする断固たるデモンストレーションに決起した。そして、県学連と革命的・戦闘的労働者を先頭とする沖縄の人民は、「辺野古新基地建設阻止」「南西諸島の軍事要塞化反対」を掲げ4・25海上行動に続いて「5・15平和行進」に連続的に起ちあがった。

すべての労働者・学生・人民諸君！　日米グローバル同盟粉砕！　〈米—中・露激突〉下の熱核戦争勃発の危機を突き破れ！　ウクライナ反戦の闘いの大爆発を！

〈反安保〉を放棄した日共中央を弾劾しのりこえ、「G7広島サミット反対」の闘いに起ちあがれ！

対中対露の核軍事包囲網の構築・強化

今回のG7サミットにおいて、アメリカ帝国主義のバイデン政権は、「専制主義・権威主義」国家とみなした中国・ロシア・北朝鮮を封じこめるための軍事的・政治的・経済的の包囲網を重層的に構築するために、「法の支配にもとづく国際秩序の維持」の名のもとに独・仏などの欧州帝国主義諸国との結束を固め、またアジア諸国権力者との協調をはかろうとしている。

そして、このバイデンの先兵として、対中・対露・対北朝鮮の核軍事包囲網の強化をG7で合意することに狂奔しているのが、「サミット議長国」日本の岸田政権である。

今回のG7サミット開催にあたってバイデンとのあいだで最終的な腹合わせをするために、岸田は、その直前（五月十八日）に日米首脳会談を設定した。そこにおいて岸田は、バイデンとのあいだで、東アジアにおける対中・対露の多国間軍事同盟、すなわち「アジア太平洋版ＮＡＴＯ」の中軸をなすものとして米日韓の核軍事同盟を――ＡＵＫＵＳなどとリンクしつつ――飛躍的に強化するという合意を改めて確認しようとしている。

首脳会談（四月二十六日）をワシントンで開催した米韓両権力者は、そこにおいて、核兵器搭載可能な米原子力潜水艦の韓国への派遣、朝鮮半島における核兵器使用に備えての・ＮＡＴＯの「核計画グループ」をモデルとした米韓の「核協議グループ」の創設などを合意した（「ワシントン宣言」）。

この合意にもとづいて、サミットのアウトリーチ（拡大）会合に韓国大統領・尹錫悦を招請し、米・日・韓のあいだで対中国・対北朝鮮の核軍事包囲網の「対処力と抑止力」なかんずく「拡大抑止」＝米軍の「核抑止力」の強化をうたいあげようとしているのが岸田なのだ。

文在寅前政権の日韓ＧＳＯＭＩＡ（軍事情報包括保護協定）破棄通告を区切りとして崩壊した米日韓三角軍事同盟の再構築を最優先せよというバイデンの要求に応えて、岸田政権は、米日韓の「抑止力と対処力」およびアメリカの「拡大抑止」の強化を確認するとともに、徴用工問題の〝政治的決着〟をはかるために、尹錫悦との首脳会談を連続的におこなってきた（三月十六日、五月七日）。そこにおいて、岸田は、数多の朝鮮人民を日本に強制連行し重労働を強制した日本軍国主義の犯罪には頬被りしたうえで、口先だけで「心が痛む」などと表明してみせた。「歴代内閣の立場をひきついでいる」などと称して、一片の日韓共同宣言（一九九八年十月）をもって、かつての日本軍国主義の朝鮮半島への侵略戦争・植民地支配を傲然と居直り正当化しているのだ。

今回のサミットにおいて、バイデン政権が軍事的・政治的分野のみならず、「経済安全保障」の分野において対中戦略の柱としているのが、中国の半導体をはじめとする高度技術のサプライチェーンを遮断することであり、５Ｇなどの国際市場から中国を駆逐することである。

「技術強国化」を呼号しＡＩ（人工知能）・量子・バ

イオといった軍事技術に直結する最先端技術開発を急進展させている習近平中国を排除し、高度技術開発・保護の協力体制、半導体や先端技術の開発・製造に不可欠のリチウムなど希少資源の世界的なサプライチェーンの確立・強化をバイデン政権は確認しようとしている。そのためにこそ、バイデン政権は、日本の岸田政権を従えながらサミットに直続して米・日・豪・印のクアッド首脳会談を開催しようとしている。

同時に、アメリカおよび日本の権力者は、中国を最大の貿易相手としながらも、〝過度な中国依存〟から脱却（「デリスキング」）する姿勢を強めているドイツ・フランスをはじめとする欧州諸国を、中国に対抗しての半導体などの先端技術のサプライチェーンおよび研究開発協力体制に抱きこんでいくことを策しているのである。

それだけではない。バイデンとの腹合わせにもとづいて岸田は、四月末からアフリカ四ヵ国（エジプト、ガーナ、モザンビーク、ケニア）を訪問し、またＧ７サミットのアウトリーチ会合に八ヵ国の途上国・新興国（インド、ブラジル、インドネシア、コモロ、クック諸島、オーストラリア、韓国、ベトナム）を招請している。

「グローバル・サウス」と呼ばれる中洋・アフリカなどの途上諸国は、米欧諸国の対ロシア経済制裁が食糧・エネルギー価格高騰を招きよせたという反発を強めている。これらの諸国権力者・人民は、イラク・アフガニスタン・ソマリアなど中洋・アフリカにたいしてむごたらしい暴虐と収奪を強行してきた米欧の帝国主義権力者が「人権と民主主義」をふりかざし他国に押しつけていること、この「ダブルスタンダード」にたいする怒りと不信を募らせてもいる。このゆえに、いまや多くのアフリカ・中洋諸国は、政治的には国連におけるロシア制裁決議に「棄権」を表明するなど、次々に中露主導の〝反米国家連合〟にからめとられつつある。

このような中・露の反米包囲網を突き崩し、より広範で緩やかな中・露包囲網を構築するために、途上諸国・新興諸国を米・日主導のインド太平洋経済枠組み（ＩＰＥＦ）や日本が世界銀行などとともに主催するアフリカ開発会議(TICAD)の枠組みに抱きこむことを策しているのだ。

軍事強国化に狂奔する岸田ネオ・ファシズム政権

プーチン・ロシアにたいするウクライナの反転攻勢をまえにして、米欧の帝国主義権力者は、〝プーチンを勝たせはしないが、ウクライナにも勝ちすぎさせない〟という腹でウクライナへの追加的な支援を出し渋っている。こうしたなかでウクライナ大統領ゼレンスキーは、ロシア侵略軍を叩きだすための強力な支援を各国に懸命に訴えている。G7広島サミットにオンラインで招かれたゼレンスキーは、〈プーチンの戦争〉を打ち砕くためのあらゆる支援を全世界に必死に呼びかけようとしているのだ。このゼレンスキーの訴えを最大限に政治的に利用して、いま大軍拡と日米同盟強化に突進しようとしているのが岸田政権にほかならない。

まず第一に岸田政権は、「日米同盟の現代化」というバイデン政権の要求に応えて、日本を〝アメリカとともに戦争をやれる国〟へと改造するために狂奔している。ロシアのウクライナ侵略を奇貨として、「専守防衛」という戦後日本の安全保障政策の建前を最後的に投げ捨てアメリカ帝国主義とともに「敵国」を先制的に撃滅しうる軍事システムの構築へと現にふみだしているのだ。

岸田政権・防衛省はいま、アフガニスタンやイラクにおいてムスリム人民の頭上に撃ちこみ血の海にしずめてきた巡航ミサイル「トマホーク」(射程一六〇〇キロメートル)や、12式地対艦誘導弾(射程一〇〇〇キロメートル以上に改造)などの長射程ミサイルの配備に血道をあげている。

この政権は、これらのミサイル発射拠点、すなわち、対中攻撃の拠点を、対中国軍事作戦の最前線に位置する沖縄・南西諸島に構築することを計画している。奄美大島、沖縄本島うるま市、宮古島、石垣島、そして日本列島最西端に位置し台湾まで一一〇キロメートルに迫る与那国島——これら中国政府が最終防衛線と位置づけている「第一列島線」上に連なり、かつ台湾の目と鼻の先に位置する島嶼部を、地対艦・地対空ミサイル部隊の攻撃拠点として確保しようと企んでいるのが岸田政権である。

しかもこの政権は、「台湾有事」において南西諸島が〝戦火〟に包まれることをも想定しながら、中国軍との戦闘を遂行するための日米共同作戦計画にもとづいて、この戦場に弾薬庫や補給拠点、輸送経路の確保など、部隊配置・インフラの整備を強行しつつある。「軍事利用は認めない」という従来の取り決め(一九七一年の屋良覚え書き)をも傲然とふみにじり、宮古島の下地島空港をはじめとする民間空港・港湾をも日米両軍の軍事拠点として利用する計画を策定しているのだ。

アメリカ帝国主義のバイデン政権が策定したところの・〝先制攻撃とミサイル防衛との統合的運用〟を特質とする「統合防空ミサイル防衛(ＩＡＭＤ)」という軍事システム構築の構想、および「遠征前進基地作戦(ＥＡＢＯ)」という軍事作戦構想にもとづいて、米軍と一体で対中戦争を遂行しうる部隊として日本国軍を再編強化する策動にうってでているのが岸田政権である。

第二に岸田政権はいま、莫大な軍拡費用を確保するための「防衛財源確保法」、および軍需産業を支援・保護(工場などの製造施設・設備の国有化を含む)するための「防衛産業基盤強化法」――これらの反動諸法を今国会において成立させることに全体重をかけている。

五年間(二〇二三～二七年度)で総額四三兆円にのぼる巨額の軍事費を捻出するために、労働者・人民から血税を搾りとろうというのがこの極反動政権なのだ。あろうことか、この政権は、東日本大震災の被災地復興を建て前として人民から取りたてた「復興特別所得税」の税収を、巨額の軍事費を補填するために流用することをも企んでいる。

それだけではない。岸田政権は、「非軍事支援」を建て前としてきた政府開発援助(ＯＤＡ)とは別枠で、途上国・新興国への軍事援助を恒常的におこなうための「政府安全保障能力強化支援」(ＯＳＡ)制度の新設を閣議決定した。これと同時に、「防衛装備移転三原則」(それじたいかつての「武器輸出三原則」を安倍政権が大幅に緩和したもの)という〝制約〟さえも最後的に破棄しようとしている。正真正銘の〝殺傷兵器〟を海外へフリーハンドで供与する道にふみきろうとしているのだ。

そして第三に、そのためにこそ憲法第九条に「国軍と交戦権」を明記するとともに、「有事」にさいして労働者・人民の「基本的人権」を制限する首相・NSC(国家安全保障会議)の非常大権を明記することに血道をあげているのが岸田・日本型ネオファシズム政権なのだ。この政権は、日本国家を名実ともに〝戦争をやれる国〟へと改造する攻撃に狂奔しているのである。

G7サミット反対! 反戦反安保闘争に起て!

すべての労働者・学生諸君! われわれは、対中対露の核軍事包囲網・アジア太平洋版NATOの構築に狂奔する帝国主義権力者どものG7広島サミットに断固として反対するのでなければならない。

だがこのときに日共の志位指導部は、岸田・習近平両政権に「外交努力」をおこなうべきことを「提言」し要請しているにすぎない。

彼らは、①「互いに脅威とならない」という日中共同声明(二〇〇八年)、②尖閣諸島問題などは「対話と協議」で解決する日中合意(二〇一四年)、③「ASEANインド太平洋構想」(AOIP)を目標とした東アジア地域の協力、――こうした「共通の土台」に日・中両政府は立つべきだというのだ。

志位指導部のこの「提言」なるものは、「両国政府に受け入れ可能で、かつ現状を前向きに打開するうえで実効性のある内容」だとされているように、日米軍事同盟が現存するもとでも日本政府が即採用することが可能なものとしておしだされている。しかも、「敵基地攻撃能力保有と大軍拡に対するわが党の厳しい批判的立場は明確ですが、それを『提言』のなかではあえて書いていません」などとわざわざ断りをいれながらである。

このような日共中央の「提言」なるものは極めて犯罪的なもの以外のなにものでもない。

今回のG７サミットにおいて、アメリカ帝国主義のバイデン政権が「属国」日本の岸田政権を従えながら日米軍事同盟を対中攻守同盟として飛躍的に強化するとともに、この日米同盟を基軸として韓・豪・英・比などを束ねて「アジア太平洋版NATO」というべき多国間軍事同盟を構築しようとしている。この米日権力者の攻撃にたいして、「日米軍事同盟の強化反対」を高だかと掲げ、労働者階級を中核とする全人民の反戦反安保闘争を組織することなくして、いかに攻撃を阻止する主体的力を創造するというのか。岸田や習近平などの権力者にたいして〝「共通の土台」に立ってください〟などとお願いするというのは、こうした権力者どもが軍事政策と一体で展開する瞞着外交にたいする、労働者・人民の幻想を煽ることにしかならないのだ。

問題はそれにとどまらない。ネオ・スターリニスト国家中国の東シナ海・南シナ海における軍事的威嚇という反プロレタリア的犯罪を免罪しているのが代々木官僚なのだ。中国の習近平指導部は、台湾周辺海域に海空軍を常時展開し、さらに台湾をも越えて西太平洋へと展開させている。こうして台湾および日本の権力者を、さらには労働者・人民を傲然と威嚇し戦争勃発の危機に叩きこんでいるネオ・スターリニスト権力者、彼らのこの犯罪をなにひとつ弾劾することもなく、猫なで声ですりより「（中国政府からも）賛意を得た」などと喧伝するとは！　それは、代々木官僚のネオ・スターリニストとしての本性を赤裸々にしめすものではないか。

「反安保」を放棄する日共中央の対応を弾劾せよ！　「G７サミット反対」の闘いを「アジア太平洋版NATOの構築反対」「米—中・露激突下の戦乱勃発の危機を突き破れ」という方向性を鮮明にしてたたかおうではないか。

（二〇二三年五月十五日）

新入生歓迎特集

〈プーチンの戦争〉粉砕！　改憲・安保強化反対！

新入生は今こそ起ちあがろう

すべての学生のみなさん！　とりわけ新入生のみなさん！

私たちはすべてのみなさんに訴えます。プーチンのロシアによるウクライナ軍事侵略に反対する反戦の闘いに、そして、岸田政権による憲法改悪と先制攻撃のための大軍拡に反対する闘いに起ちあがろう！

職場深部でたたかう労働者と連帯して、全国のキャンパスから全学連が創造している革命的反戦闘争、その息吹を、そしてこの闘いをつらぬく思想を、本「新入生歓迎特集」からぜひとも感じとってほしいと思います。

昨年二月二十四日にプーチン・ロシアが開始した

本稿と本誌本号掲載の「ロシアのウクライナ侵略に反対しよう　Q&A」は、『解放』第二七六三号の「新入生歓迎特集」の再録です。

ウクライナ軍事侵略――それは、ウクライナ人民を大量に虐殺することで民族を根絶やしにし、その土地をロシアに力ずくで組みこもうとする、ナチス・ヒトラーの再来というべき蛮行にほかなりません。この世紀の暴虐をうちくだくために全学連の学生たちは、闘争を放棄した日本共産党翼下の反対運動をのりこえ、全力をあげてたたかっています。

ロシアのウクライナ侵略を前にして、日本の既成の「反戦・平和」運動は腐敗した姿をさらけだしています。日本共産党の志位指導部は、ウクライナ反戦の闘いを何ひとつ組織せず、「国連での話し合いによる解決」を弱々しくつぶやいているにすぎません。それは彼らが、党内に、「プーチンよりNATOの方が悪い」とか「ブチャ虐殺はフェイク」とかと言ってプーチンを擁護する者たちを抱えているからです。

スターリン主義ソ連邦で人民を抑圧してきたKGB(国家保安委員会)の一員であったプーチン。このプーチンの戦争に反対することができない者たちが、〝平和運動指導者〟や〝リベラル文化人〟の中にもごまんといるのです。彼らに欠如しているのは、世界革命を裏切ったスターリンとその末裔への怒りにほかなりません。

こうした既成「左翼」の死滅状況をのりこえ、全学連は、侵略者と不屈にたたかうウクライナの人民との絆をげんにつくりだしつつ、ウクライナ反戦のうねりを創造してきました。この闘いは、いまや世界にむかって輝いているのです。

それだけではありません。日本の岸田政権が、ロシアのウクライナ侵略をまさに〝渡りに船〟として、日本を名実ともに「アメリカとともに戦争をやれる国」に飛躍させるためにふりおろしてきた攻撃にたいして、全学連は日本全土で反戦の運動をまきおこしてきました。

日米共同の先制攻撃体制の構築、沖縄・辺野古の米海兵隊新基地建設……こうした米日帝国主義の戦争政策に反対するとともに、侵略国ロシアと結託して軍事強硬策をくりかえすネオ・スターリン主義中国にも反対する反戦の闘いを、全学連は創造してきたのです。

新入生のみなさんも、こうした全学連の運動に加わり、ともにスクラムを組んで「〈プーチンの戦争〉粉砕」の闘いを、また「改憲阻止・大軍拡阻止」の闘いをすすめようではありませんか！

新入生のみなさん！　みなさんは、まさに世界史を画するような激動の年に大学の門をくぐりました。

ロシアのウクライナ侵略は、アメリカと中国・ロシアとの〈新東西冷戦〉のなかにはらまれていた世界的な戦乱の危機を前面におしだしました。侵略者プーチンと結託し、核軍事力を大増強しながら対米の挑戦を強める中国の習近平政権と、今世紀初頭にイラク・アフガニスタンで何十万もの人民を殺戮したその血まみれの手を懐に隠し「民主主義の旗手」ヅラをして、日本をはじめとした「同盟国」を糾合し対抗する〝没落の帝国〟アメリカのバイデン政権。この米—中・露の熾烈化する角逐のなかで、ユーラシアの「西」につづいて「東」においても、熱核戦争勃発の危機が極限まで高まっているのです。台湾、そして朝鮮半島を焦点として……。

すべての新入生がこの危機の時代のなかで学び、目覚め、そして全学連のたたかう学生とともに変革的な実践に起ちあがることを、私たちは熱願してやみません。新たな時代を生きる若者たちが踏みだすその第一歩こそが、暗黒の二十一世紀世界をつきやぶり、まさに来たるべきものをきりひらく主体的な力の創造へとつながってゆくのです。

すべての新入生は、〈いま・ここ〉から決起しようではありませんか！

起て！　全学連の旗のもとに

全学連委員長　有木悠祐
（早稲田大学）

全学連のすべての仲間を代表して、新入生のみなさんに歓迎のメッセージを送ります。

岸田政権による史上空前の大軍拡と憲法大改悪を阻止する闘いに、そしてロシアのウクライナ侵略を粉砕する闘いに、ともに起ちあがろうではありませんか！

私たち全学連の学生は、二〇二〇年初頭以降三年におよぶ新型コロナ蔓延のもとでも、「感染対策」を理由にしたさまざまな規制に抗して、大学キャンパスから反戦のうねりをつくりだしてきました。

今春期、私たちは、岸田政権による日米共同の敵基地先制攻撃体制の構築、辺野古への米海兵隊新基地建設、そして憲法改悪を阻止するためにたたかいます。台湾を焦点とする米日―中の相互対抗的な軍事行動に反対する反戦の闘いをおしすすめます。そしてまた、侵略者と不屈にたたかうウクライナ人民と連帯し、悪逆な〈プーチンの戦争〉をうちくだく闘いのさらなる巨大な爆発をかちとるために、昨一年の闘いの地平にたっていっそう奮闘します。

私たちは、日本共産党系などの既成反対運動の腐敗と沈黙をのりこえ、たたかう労働者のみなさんと連帯して、闘いの炎を全国のキャンパスで、街頭で、断固として燃えあがらせてゆく決意です。

〈帝国主義とスターリン主義に抗してたたかう労働者階級と連帯して革命的学生運動を推進せよ〉――この路線に確固として立脚したわが全学連の革命的反戦闘争こそは、米―中・露の冷戦的激突のもとで世界大戦の危機を高める二十一世紀現代の現実をつきやぶってゆく、その突破口をひらくものにほかなりません。

このような闘いを新入生のみなさんとともにたたかうことを、私は、そして全学連のすべての仲間は、心待ちにしています。

起て！　わが全学連の真紅の旗のもとに！

『解放』第二七六三号の「新入生歓迎特集」に寄せられた、有木全学連委員長の「起て！　全学連の旗のもとに」をここに掲載します。

ロシアのウクライナ侵略に反対しよう　Q＆A

全学連はこの一年、プーチンのロシアによるウクライナ侵略に反対する反戦闘争を全力でおしすすめてきました。多くの学生がこの闘いに起ちあがり、たたかいながら学び、論議し、そして考えてきました。

こうした昨一年間の全学連のなかでの論議にもとづいて、ここでは学生の質問に革マル派代表が答えるというかたちで、新入生のみなさんにぜひ考えてほしいことをまとめてみました。

〔編集局〕

I　軍事大国ロシアの軍隊はなぜ弱いのか

Q　ロシア軍がウクライナへの侵略を開始してから、一年と一ヵ月になります。

昨二〇二二年の十二月頃から、ロシア軍はウクライナ全土にミサイルを雨あられと撃ち込んで、電気

・ガス・水道などの施設を破壊しつくし、また集合住宅・病院・学校なども廃墟にしました。
　ウクライナの人々は極寒の冬を無事に過ごせるのかと、とても心配しましたが、彼らはなぜ耐えられたと思いますか？
Ａ　彼らは、とても我慢強いだけでなく、お互いを助け合う精神がとても強いのだと思います。
　プーチンが悪逆非道の限りを尽くせば尽くすほどに、ウクライナの人々は、「プーチンを絶対に許さない」という怒りの炎を燃えあがらせています。ある世論調査によれば、九〇％近いウクライナの人々が「勝利の日までたたかう」と述べているとのことです。
Ｑ　東部のバフムトの攻防戦についても、「ワグネル」による攻撃の前に陥落間近ということがずっと言われてきました。ロシア軍は約八ヵ月間、プーチンの言う「ドンバス地方解放」の象徴としてバフムト制圧に全力を注いできたのですが、なんら目的を達成できないどころか、夥しい死傷者を出しています。ロシア軍の敗北の根拠はどこにあるのでしょうか？
Ａ　それはまず第一に、なんと言っても両軍の士気のちがいだと思います。
　バフムトに送りこまれたのは、ロシア正規軍の空挺部隊などもいるにはいますが、主力は「ワグネル」で、「おまえたちの残虐性が戦争で役に立つ」と言ってかき集められた囚人兵たち。「ワグネル」は表向きは民間軍事会社ですが、実際はプーチンの私兵です。また昨年の九月に強制的に動員された徴集兵もいますが、これは、シベリア地方のサハやブリヤートやカフカス地方のダゲスタンなどの少数民族が多い。

　彼らには戦争の大義など何もないのです。

　これにたいしてウクライナの戦士たちは――それは国軍・国境警備隊・「自由大隊」のような人々が自発的に作った軍事組織・そして領土防衛隊などからなるのですが――士気高く戦いぬいています。

　もしもバフムトから撤退すれば、一年前にアゾフスターリ製鉄所の攻防戦でついに投降を余儀なくされたマリウポリなどがそうであったように、そこに住む住民たちは選別収容所に入れられ、拷問され、女性たちは凌辱され、ある者は処刑され、ある者はシベリアなどの過疎地に送られてしまいます。そして子供たちは、親から引き離されてロシアに強制的に移送され、ロシア人として養子縁組みさせられてしまいます。だから彼らは踏ん張っているのです。

それにもしもバフムトから撤退したなら、春からの反転攻勢も難しくなる……それで決死の戦いを挑んでいるのです。

Q　やはり仲間思いなのですね。

A　そう。そして士気のちがいだけではなく、ロシア軍は戦術も指揮もデタラメ。とにかく人海戦術で戦場に突っ込ませる。もしも兵士が逃げ出そうものなら「督戦隊」と称する部隊が背後からこれを撃つ。ロシア兵士の生存率は一〇%くらいで、ひどい場合は一〇〇人いた部隊が二人しか残らなかったという。ロシア軍の死傷者は二二万人にのぼると言われています。

Q　プーチンが「三月中にドンバス地方の二州を制圧せよ」と命令したことも関係するんでしょうね。

A　そうですね。まずロシアの軍隊というのは完全に上命下服。これはソ連邦崩壊以前のスターリン主義時代の官僚主義が今なお根付いているからです。だから現場の意見を吸いあげるというのがまったくない。

さらにプーチンという元ＫＧＢの男は謀略と謀殺のプロかもしれないが、軍事上の戦略・戦術も軍事技術も分からない。この皇帝様が、『『努力せよ』ではない、『為し遂げよ』だ。これは命令だ」などと恫喝する。これもロシア軍の敗北の大きな要因であることはたしかですね。

これにたいしてウクライナの方は、逆。バフムトの攻防では、春からの反転攻勢に備えて戦力を温存するか・それとも味方にそれなりの犠牲が生まれようとも次の勝利のために敵に大打撃を与えておくか、ギリギリの判断が問われたと思う。しかしこれを判断したのは現地の司令官たちであって、キエフではない。ゼレンスキー政府はバフムトには、女性や外国からのに従ったという。

義勇兵も含めて二万八〇〇〇人の志願兵が駆けつけたという。

さらに戦闘は兵站なしには戦えず、水・食糧・武器弾薬・燃料などを含めて兵士一人あたり一日二〇〇キログラムほどの物資の補給が必要なのだが、これを多くのウクライナ人民のボランティアが支えたことも、大きな勝因の一つだと思います。

こうしてプーチンは、またもや敗北を喫したのです。

Ⅱ　世界史的事件にいかに立ち向かうべきか

Ｑ　ところで私は、先ごろ、「ＮＨＫスペシャル」の「ウクライナ大統領府　軍事侵攻・緊迫の七十二時間」という番組を見ました。そして昨年二月二十四日のロシアのウクライナへの軍事侵略の三日後の二月二十七日に革マル派が発した「ロシアのウクライナ軍事侵略弾劾！」の声明（『解放』号外、本誌第三一八号に再録）を、あらためて読み直してみたのです。

Ａ　そうですか……。

Ｑ　すると、侵略から一年後に「ＮＨＫスペシャル」であきらかにされたことと寸分違わないことが、すでに書かれていることに本当にびっくりしました。

プーチンの野望がウクライナ全土の制圧―現政権の斬首作戦―傀儡政権のでっちあげにあり、ウクライナのロシアへの併呑ないし属国化にあること。米欧の権力者は「ソ連邦の解体とＮＡＴＯの東方拡大は二十世紀最大の地政学的惨事」というプーチンの言辞の意味が捉えられず、顔面蒼白となったこと。そしてウクライナの労働者人民へのレジスタンスの呼びかけ……などなど。

Ａ　そうですね。プーチンの狙いは、ゼレンスキーを家族もろとも暗殺し、親ロシアの野党党首を擁立し、傀儡政権を樹立することだったのです。

それでアメリカのバイデンもＥＵの権力者たちも、何度も何度もゼレンスキーに海外に亡命するよう促したのです。しかしゼレンスキー政府はこれを拒否した。「欲しいのは（亡命用の）飛行機ではない。

欲しいのは武器だ」と。

そして、ウクライナの人民がこれに呼応しました。これを見てはじめて欧米の権力者たちは、ウクライナへの軍事支援に傾いていったのです。

「欧米がウクライナ政府に戦争をけしかけた」などとうそぶく輩もいるが、これは事実としても違っている。バイデン政権などは、偵察衛星の情報などからロシアはキエフを狙っていると分かっていながら、二〇二一年の暮れに早ばやとプーチン政権にたいして「ウクライナに侵攻したらわれわれは経済制裁はするが、軍事介入はしない」などと通告していた。その意味ではバイデンはプーチンに侵攻のお墨付きを与えたとさえ言えるのです。

ともあれ、ウクライナの人民の決起がなければ事態はまったく違っていたのです。

Q　侵攻から一年経ったいま、「双方が武器を置き、即時停戦を」と言う人がいますが、これについてどう思いますか？　また「米欧による武器供与も問題だ」と言う人もいます。これについてはどうですか？

A　いま「即時停戦」を唱えることは、プーチンによる四州併合を認めることにほかなりません。それはプーチンを喜ばせるだけです。

また「米欧の武器供与反対」を唱える者には、戦うウクライナの人々の声を聞けと言いたい。

「ウクライナ人民は戦わんとしても、ロシアの重火器や軍用機を破壊するために必要な武器を有していない。ウクライナ人民にとって、みずからが必要とする武器を得ることは死活問題なのである。それゆえ、ウクライナへの重火器の無条件供与の要求は、ウクライナのレジスタンス支援のもっとも重要な方法になる。これは、ウクライナ人民がこの戦争で勝利しうる唯一の方法なのだ。」

これは、ウクライナの戦闘的な左翼に属する青年・学生がつくった「ユース・フォー・ウクレイニアン・レジスタンス」の呼びかけです。血みどろの決死的戦いをくりひろげているウクライナの人々に向かって「火炎ビンと旧式の銃だけで戦え」と言うのは「死ね」と言うにひとしいのだ。

米欧帝国主義権力者にはそれぞれの利害があるこ

となど、分かりきっている。すでにわれわれが、昨二〇二二年の五月以来指摘しているように、米欧の権力者は、旧ソ連邦の版図の復活という野望をもつプーチンのロシアの勝利を恐れると同時に、ウクライナの勝ちすぎをも恐れている。それは、追いつめられたプーチンが核攻撃の挙に出かねないからです。

だが、＜プーチンの戦争＞にたいするわれわれの階級的判断の絶対的基準は、ただ虐げられた労働者階級の現実的利害の防衛と擁護におかなければならないのです。

Q　そうですよね。先輩も言っていました。「プロレタリア・ヒューマニズムとは現実的ヒューマニズムなのだ」と。

A　核大国ロシアの皇帝気取りのプーチンは、ウクライナを降伏させることなど赤子の手をひねるようにやさしいと考えていたにちがいありません。

しかしそれは、力の信奉者の奢りが生んだ大きな誤算でした。この一年間、プーチンはやることなすこと失敗ばかりですが、その最大の誤算はウクライナ人民の一致団結と決起にこそあったのです。

Q　情報も限られているのに、革マル派は、ウクライナの地で起こっていることをなぜかくも的確に予測しえたのですか？

A　いや、予測したというわけではないのです。それは、なんと言うか……情勢を読むということは、いわば「人の心読み」なのです。情勢分析とは平たく言えば、階級的諸実体の諸々の実践がゴツンゴツンとぶつかりあい動いているその動態を捉えることでしょう。もちろんわれわれは、この現実をわれわれが変革するために、そのためにこそまずは現実そのものをあるがままに把握するのです。

「あるがままに」ということはもちろん、表面的に現象だけを捉えることではありません。分析する対象である相手の心の内に分け入らなければ、生みだされた事態を本質的に捉えることはできないのです。

Q　なるほど……なんとなく分かります。確かに私たちも、たとえば大学当局が自治破壊の攻撃などを仕掛けてきたとき、大学当局―背後の文科省―学生などを措き、相手の狙いを懸命に掴もうとします。

A　だからぼんやり眺めていたり、ただ生みだされた結果を解釈したりしていたのでは、情勢に流されるだけになってしまいます。真剣に情勢を変革しようとすれば、まずは仁王立ちにならなければならないのです。

Q　革マル派の声明はちょうど侵略の開始から七十二時間くらい後に書かれていますが、そこでは「ウクライナの労働者人民はレジスタンスに起て」と呼びかけられています。まるで予言が的中したかのようです。これも先ほど言われた「心読み」なのですか？

A　そうです。たとえば侵攻の開始から三日の間に、「十八歳から六十歳までの男性は国外に出ない」という指示が出され、火焔瓶の作り方がテレビで放映されました。

お笑い芸人出身のゼレンスキー大統領の支持率はそれほど高くなく、むしろ低迷していたと言います。しかしまだ欧米の支援が表明されていないなかで、こういう指示が出せたということは、人民がこれを受け入れるにちがいないからなのです。そしてウクライナ政府の指導者たちがカーキ色の戦闘服を着て国民の前に姿を現しました。

大体これくらいの事実で、先に「NHKスペシャル」で報じられたようなことが決まったことは、推測できたのです。

Q　なるほど、そうですか。先ほど「仁王立ちになる」と言われましたが、これについてもう少し……。

A　われわれが「仁王立ちになる」ということは、われわれ自身が侵略者への怒りに燃え、突如として戦火のなかに投げ込まれたウクライナの人民の心中に思いを馳せ、われらはこの日本の地で何をなすべきかを懸命に考え実践することにほかなりません。反スターリン主義の革命的左翼としてウクライナの労働者人民に何を呼びかけるか・ロシアの労働者人民に何を呼びかけるか。そしていかなる反戦の大衆運動をつくりだすか。

そういう実践的立場に立たなければ、残忍な戦争への驚きも怒りも「何とかしたい」という熱情も闘志も湧き起こらず、白けた対応しかできなくなってしまうのです。

Q　心ある多くの人々は、プーチンの戦争の残忍さに心を痛め、苦悩するウクライナの人々に涙する。そして「戦争が一日も早く終わることを願う」と言いながら、自身の今日一日の平穏無事にちょっぴり感謝している。しかしこれでは、歴史的現実を主体的に生きているとは言えませんよね。

　話を少し戻しますが、プーチンによるウクライナへの軍事侵略という事件が勃発したとき、革マル派は、これがたんなる領土紛争などではなくて歴史的な大事件だということを見抜かれたと思うのですが、これはなぜですか？

A　そうですね。たとえばプーチンが、「ソ連邦の解体とNATOの東方拡大は二十世紀最大の地政学的惨事」と言った。これをじっと考える。「ソ連邦の解体は惨事」とはどういうことか？　いわゆる「ソ連社会主義」は「圧制と抑圧と貧困」の別名のようにさえなってしまった。このゆえに、東欧の「社会主義」諸国やソ連邦を構成していた多くの共和国の人々は、ゴルバチョフの「ペレストロイカ」(刷新)を導火線にして、「社会主義はもう御免」とばかりに西欧の「自由と民主主義」に憧れ、雪崩をうって西へ脱走した。こうしてソ連・東欧の「社会主義」はドラマティックに瓦解した。

　ところがプーチンは、自身が東ドイツ在住のKGB員であったにもかかわらず、「社会主義」が人民の恐怖と憎悪の的になったとは感覚していない。彼の眼には、ベルリンの壁の向こうから流れてくるロック・スターたちの呼びかけに騙されて、民衆が壁を壊して脱走したとしか映っていないにちがいない。

　さらに「惨事」に「地政学的」という言葉を付けている。これは一体何を意味するのか？　ソ連邦の解体で失われたロシアの版図を、もう一度とり戻すということではないか。

　そして、このかんプーチンのロシアが現実にやってきたことをおさえる。たとえばクリミア半島の併合……。

　さらに、スターリン主義ソ連邦は過去に、ソ連の衛星国などで反乱が起こるたびに、つねに戦車と軍隊を送りこんでこれを圧殺し、傀儡政権をうちたててきた、という過去の事実を想起する。ハンガリー、チェコスロバキア、ポーランド、そしてアフガニスタン……。

　このように、プーチンの〈言〉と〈動〉から彼の頭の中を推測していくと、大体分かるのです。情報の量よりも、推論の質と深さの方が大切だと思うのです。

Q　そうですか。……ああ、これが黒田さんの言われる現実の下向分析ということなのですね。

A　そうです。実際にはなかなか難しいのですが、全学連の人たちには仲間が一杯いるのですから、「おまえはそう思うのか・でもちょっと違うなあ・僕はむしろこう思うんだ」というように、みんなでわいわいやればいいんじゃないですか。

Q　三人寄れば文殊の知恵、十人寄れば黒田さんの知恵……はは。

A　そしてその場合ね、われわれが特定の実体、たとえばプーチンならプーチンを分析しようとするときには、彼という主体と彼がおいてある場所とを措定することが大切。これをやらないと解釈になってしまい、時には勘ぐりになってしまう。そのうえで、分析するわれわれの身を彼の立場に移し入れてみる。

Q　前に先輩に教えられて同じようなことを言ったらですね。「あんなろくでなしのプーチンの立場になんか立てない。立ちたくない」と言う仲間がいた。

A　……気持ち、わかるけど。でもね、スポーツだって囲碁・将棋だって、相手が何を考えているかをまず掴まなければ、勝てないでしょう。「敵を知り己を知れば百戦危うからず」だから……。あとでぶちのめせばいいんじゃない？

Ⅲ　〈プーチンの戦争〉とは何か？

Q　〈プーチンの戦争〉ということが、よく言われます。それは、「残忍な戦争」とか、「プーチン一人が判断してはじめた戦争」、したがって「プーチンが決断すれば終わる戦争」とかといったニュアンスで言われているようです。

**　〈プーチンの戦争〉という言葉を私たちも使っていますが、それにはどんな意味があるのですか？**

Ａ　そうですね。まず、昨二〇二二年の一年間にいろいろの場で、プーチンがどういうことを言っているかを見てみましょう。

「ウクライナという歴史的なロシアの領域に『反ロシア』が生まれることなど誰も想定していなかった。われわれは容認できない。」（四月）

「国家としてのウクライナやその主権と領土を保証できるのは、今日のウクライナをつくりだしたロシアだけだ。」（十月）

「ネオ・ナチによるウクライナ国民の洗脳は数十年続いてきた。」（十二月）

これらはいずれも、昨一年間にプーチンが発した言葉です。ここにあきらかなように、ウクライナという国はロシアの属国としてしかその存在を許さない。それが嫌なら、ウクライナという国家も民族も抹殺する。――これがプーチンの考えです。

どうやらプーチンは「ウクライナ人の洗脳を解くための正義の戦い」という自身が作った荒唐無稽の物語を本気で信じているようなのです。

Ｑ　いつからこんな気狂いじみたことを考えるようになったのですか？　またなぜウクライナをこんなにも目の敵にするのですか？

Ａ　そうですね。すこし歴史を遡りますが、一九八九年以降の東欧「社会主義国」のドミノ倒しのような倒壊につづいて、一九九一年にはソ連邦そのものが十五の共和国に分解してしまいました。これは、エリツィンが主導しロシアとベラルーシとウクライナの三者がベラルーシのある森の中の別荘に集まって決めたのです。そしてこの時同時に、核兵器はすべてロシアの管理下に置くこと、クリミア半島はウクライナに帰属させることなどを決めたのです。

Ｑ　ロシア自身が決めたことを、それから三十年も経ってから「あれは間違っていた。ウクライナは歴史的に見てロシアのものだ」と言ったって、誰も納得しませんよね。ウクライナの人々が受け入れるはずがない。

Ａ　そう。特にウクライナは、スターリン時代のソ連邦のもとで、かの「ホロドモール」をはじめ塗炭の苦しみを味わわされてきたのだから……。

Ｑ　プーチンという男は、「ソ連社会主義」がソ連および東欧諸国の人民からいかに忌み嫌われ・あるいは憎悪されていたかということを、まったく理解していないのですね。

Ａ　プーチンは「ＮＡＴＯの東方拡大が元凶」のように言い、これに追随する学者や評論家や自称左翼がいるのですが、これはあまりにも身勝手な主張にすぎません。

なぜかと言うと……解体される前のソ連邦では、産業構造が共和国別・地方別に分断されていました。そこで独立国家ではあるが連合体のようなものを形成しなければ経済的交通関係も成立しません。だから旧ソ連邦の権力者たちは「独立国家共同体（ＣＩＳ）」というヌエ的な名をかぶせたものをつくろうとしたのです。

しかしこれは、「分離ののちの連邦制」というレーニン的原則を踏みにじってつくられたスターリン主義的連邦制、つまり官僚主義的中央集権制、これについての反省などまったくないことのゆえに、「大ロシア主義の再現」としか映じない。だからＣＩＳは、発足と同時に空中分解してしまったのです。

Ｑ　その場合、ウクライナはどんな態度をとったのですか？

Ａ　この時ウクライナは、モスクワにたいするいわば反抗の先頭に立ったのです。エリツィンのロシア連邦がＣＩＳの「統一軍」を作ることを主張したのにたいして、ウクライナは「独自軍」を主張するとか、黒海艦隊をウクライナの管理下に置くことを主張するとか……。

だからクレムリンの支配者にとって、ウクライナは兄弟でありながら自分に牙をむく憎き存在なのです。

ソ連邦の瓦解以降ウクライナは、ロシアの方に顔を向けたり西欧の方に顔を向けたりしてきたのですが、やはり決定的なことは、二〇一四年のいわゆる「マイダン（広場）革命」――「尊厳革命」とも言いますが――この事件でしょう。親ロシアのヤヌコビッチ大統領の政権が人民の怒りに包囲されて倒壊し、大統領はモスクワに逃亡した。この男は、ドンバス地方の役人出身の元スターリン主義官僚であるが、汚職まみれで、自分の私邸の中に動物園まで作っていたという。キエフには汚職博物館というものがあるらしい。

　ちなみにウクライナには、ロシアと気脈を通じたオリガルヒがたくさんいて、主要なテレビ局を牛耳ったりしており、法制度が整っていないこともあって汚職も横行しています。だからゼレンスキー政権は、今も汚職の摘発に大童なのです。

Q　ああ、そうですか。……「マイダン革命」は、元諜報員のプーチンには、米欧の諜報員に操られ西欧に洗脳されたウクライナの国民が起こした謀略事件と映るのですね。

　プーチンは、「二十世紀最大のスパイ」という異名を持つゾルゲに心酔し、「ああ、諜報員になれば世界を動かせるのか」と思ってKGBに入ったらしいですね。

A　そう。プーチン政権のもとで、ここ数年ロシアでは、ゾルゲが神格化されているらしい。モスクワの地下鉄に「ゾルゲ駅」が新設されたり、国営のテレビ放送でゾルゲを主人公にした連続ドラマが放送されたり……。

Q　この「マイダン革命」の後に、ロシアはクリミア半島を併合したのですね。

A　そうです。もともとロシアの権力者は、ソ連邦の崩壊以降、バラバラになり離脱していった各独立国を再びロシアの勢力圏内にとり戻したり繋ぎとめたりするために、そこにロシア人を移住させ非ロシア人を支配しようとしてきました。バルト三国やモルドバ、ウクライナでは東部ドンバス地方やクリミア半島ですね。そして内戦を起こしたり、あるいはデタラメな住民投票をでっちあげたりして、それらをロシアの領土の中に組みこもうとしてきたのです。

　このロシアがクリミア半島を強引に併合したことにたいして、西欧諸国は曖昧な態度をとり妥協した。そしてプーチンのロシアの脅威から身を守るためにウクライナ政府がＮＡＴＯ加盟を申請したことにたいして、西欧諸国とくにドイツとフランスが猛反対した。

　このいわば成功体験にふまえて、プーチンは今度は、ウクライナ全土の制圧と属国化ないし併合という暴挙にでたのです。

Ⅳ　今なお問われるスターリン主義の大罪

Q　こうしてみていくと、先輩が言っていましたが、たしかにソ連邦の崩壊という三十年前の歴史的大事件は、今なおたんなる過去の事件ではない、という気がしてきます。

A　そう、そうなんです。「ソ連スターリン主義」は体制としては瓦解し歴史の表舞台から姿を消しました。しかしまるでゾンビのように、今なお生きて悪さをし、労働者人民を苦しめているのです。

その最大の罪は、次のことにあります。

前世紀には永くベールにつつまれてきた「ソ連社会主義」のむごたらしさが今では常識になり、そして常識になってしまったがゆえに、全世界の多くの労働者人民が「社会主義はもうコリゴリだ」と思いこんでいることです。

このソ連スターリン主義の崩壊という衝撃波によって、世界の階級闘争、労働運動は大きく後退してしまったのです。それは階級闘争の指導部がみずからの針路を見失い、思想転向をやってのけたからです。そして東西角逐から解放され「資本主義の勝利」に酔った世界中のブルジョア政府＝支配階級が、労働者階級に容赦のない貧困と抑圧を強制しだしたのも、このゆえなのです。

ひとりわれわれ反スターリン主義運動だけが、〈反帝・反スターリン主義〉をますます高く掲げてたたかったことは言うまでもありません。もちろん全学連のみなさんと共に。

Q　スターリン主義がニセのマルクス・レーニン主義でしかないこと。このゆえに必然的に破産したこと。これについて、やや詳しく話してもらえますか？

A　資本主義における賃金奴隷制とは、「自由・平等」というイチジクの葉で覆い隠された階級支配のどんづまりであり、被支配階級である労働者階級こそが国境を越えて団結して、「共産主義」という未来社会を切り拓かなければならない――こういうことをあきらかにしたのが、マルクスとエンゲルスでした。そしてこれをロシアの地でプロレタリア革命として実現し未来社会への扉を現実に開いたのが、レーニンと彼の率いたボルシェビキでした。

　ところがレーニンの死後、ソ連の党と国家の最高指導者にのしあがったスターリンは、マルクス・レーニン主義を裏切り、「一国社会主義（革命と建設）」論なるニセ理論をもって全世界の労働者階級の解放の闘いを抑圧するとともに、国内では勤労人民に圧制を敷き人民からの収奪をほしいままにしたのです。また第二次世界大戦に際してはスターリンのソ連は、「民主主義的帝国主義」と同盟しナチス・ドイツと戦うとともに、廃墟と化した東欧の国々に軍事力をバックに「人民民主主義」という名のスターリン主義官僚専制国家をでっちあげたのです。

　こうして二十世紀の後半は、全世界が帝国主義とスターリン主義とによって分割され支配されました。

Q　そのあたりは、昨年、私たちもよく勉強しました。そしてスターリン主義ソ連邦は、帝国主義国アメリカと同様に、対抗的軍備拡張競争の泥沼にはまりこみ、そうすることによって自国経済が完全に疲弊し、軍事化されたソ連経済は危殆に瀕してしまったのですね。

A　ところが、こうした米ソ角逐下でソ連の敗色が濃厚になるなかで、完全に行き詰まった「スターリン型社会主義」――つまり官僚主義的中央集権制にもとづく強権的支配、官僚主義的計画経済、そして一国社会主義の防衛と建設のための強硬な対外政策など――から脱却しようともがきはじめたのが、ソ連共産党最後の書記長＝ゴルバチョフでした。

　彼は、マルクス・レーニンがめざした社会主義は「幼稚なユートピア」などと罵り、マルクス・レーニン主義からの訣別を宣言しました。そして、超階級化された「民主主義」や「市場経済」を導入することによって、「スターリン型社会主義」を西欧型社会民主主義の方向へ転換させようとしたのです。

Q　このゴルバチョフによる政治・経済・国際関係・党などのあらゆる部面の「ペレストロイカ」（刷新）を引き金にして、先ほど述べられたように、まずは東欧諸国が西側に駆け込み・次にはソ連邦そのものがバラバラになったのですね。

A　そうです。そしてこのゴルバチョフのあとを継いで、資本主義ロシアの復活に狂奔しはじめたのが、エリツィンなのです。

彼らは、破産したスターリン主義をレーニン主義の必然的帰結などとみなしてこれを否定し、さらにこれをマルクスの階級独裁論と重ねあわせることによって、マルクス主義そのものを投げ捨てました。

＜ソ連邦の解体＞という歴史的事業をやってのけたゴルバチョフと、＜資本主義ロシア＞を二十世紀末に再興したエリツィン――この二人は世紀の大罪人なのです。

Q　ソ連邦崩壊後のロシア経済は悲惨きわまりなかったと聞きましたが……。

A　そうです。ロシアの資本主義復活による再生という夢はもろくも潰え去りました。「国破れて山河あり……」。亡国ロシアに現出したものは、すさまじい経済的・政治的アナキーでした。

つい昨日までスターリン主義党官僚であった輩が、国有財産を二束三文で買いたたいて資本家的経営者に転身し、あるいは国家のフォンドや海外からの支援物資をくすねて闇市場に流す――こうした官僚的資本家や商業マフィアが跋扈（ばっこ）しました。マフィアが暗躍する「影の経済」が国民経済の四〇パーセントを占め、物価上昇率は一〇〇〇パーセントにはねあがり、失業者数は三〇〇〇万人に達しました。生産はスパイラル的に下降し物流は大混乱し、物々交換経済が出現しました。

Q　「市場経済の導入」はロシアではなぜスムースにいかなかったのですか？

A　そうですね。……歴史的には、帝政時代のロシアではミール共同体を基礎とした農奴制経済が普遍的でした。またスターリン時代には官僚主義的計画経済がとられていました。このゆえにロシアでは、いわゆる商品経済はあまり発展していませんでした。そこに「市場経済」なるものを、あたかも「魔法の杖」ででもあるかのようにみなして突っ込んだとしても、それは「安く仕入れて高く売る」いわば商人資本のようなものを生みだすにすぎず、市場経済ならぬマフィア経済の横行にしかならなかったのだと思います。

そもそも資本制生産とは、労働力の商品化を根拠にして無政府的におこなわれ、この無政府性が価値法則の貫徹によって「調整」されるのであって、そこに商品経済の歴史的な独自性があります。ところが彼ら官僚どもは、帝国主義段階において経済的危機をのりきるために創出された国家独占資本主義という経済形態についての把握もないままに、ただただ十九世紀の自由主義的資本主義経済を「市場メカニズムの導入」の名において模倣し、そうすることによって破綻した官僚主義的計画経済を立て直そうとしたのです。このこと自体が観念的夢想でしかないのです。

現に今もロシアでは、エネルギー・資源産業や軍産複合体による軍需産業をのぞけば、産業がまったく育ってはいません。

たとえスターリン主義体制が体制としては瓦解したとしても、この体制の残骸が存続している以上、資本制生産が発展し、価値法則が作用し貫徹する経済が現出するわけではない。それは資本制経済であると同時に資本制経済ではない「擬似資本制経済」というほかないのです。このあたりのことは『実践と場所』第一巻の「マド五七」などを参照してください。

Ⅴ　危機を深める現代世界を変革しよう

Q　プーチンは西欧にたいして、経済的に立ち後れていることについては劣等意識を抱き、同時に、核軍事力では優位に立っていることに優越感を抱いているように見えます。このアンビバレンスの現実的な基礎は、先のようなことにあるのですね。

A　そう思います。経済音痴のプーチンも、一時はEUに入りたかったようなのですが、今では欧米の資本が入ってこないのは〝ロシアいじめ〟のせいだと思っているのでしょう。だからまた、ウクライナ侵略において惨めな敗北を喫したとき、「使える核」のボタンに手をかける衝動を強めかねないのです。

Q　ロシアの労働者人民は、ソ連邦崩壊以降のロシアについて、どう思っているのでしょうか？

A　そう。それが問題なのです。

ソ連邦崩壊後のロシアにおける先に述べたような経済的・政治的アナキーは、スターリン主義党専制のもとで塗炭の苦しみをなめさせられてきた勤労人民のニヒル感をますます増幅させたにちがいありません。

官僚主義的圧制に呻吟しながらも、超大国・ソ連邦の国民としての誇りを抱きつづけてきたロシアの人民。彼らは、自尊心をいたく傷つけられ、そうすることにより民族的情念を内から湧きおこしました。同時に、つらく苦しい一九九〇年代を、ロシア的忍従をもって耐えぬいたことに、誇りをもっているにちがいありません。

これを利用して「偉大なロシアの復活」を煽りたててきたのが、プーチンです。

一九九九年にエリツィンを汚職で追及しないことと引きかえに大統領の後継者となったのが、プーチンでした。二十一世紀に入るとアフガニスタンやイラクへの「ブッシュの戦争」によってエネルギー価格が高騰したのですが、無名のプーチンはこれを追い風にしてみずからを「亡国ロシア」の救世主としておしだしはじめました。

まずもって彼は、謀略をもってチェチェンの人民を血の海に沈め、また己れにさからうオリガルヒや野党指導者を謀殺したり投獄したりして排除しました。こうして二〇〇三年の下院選挙で圧勝したこの男は、ＦＳＢ（連邦保安庁）強権型支配体制を強化し、さらに「シロビキ」と呼ばれるみずからの手下を送りこんで、ロシア経済の生命線をなす石油・天然ガス部門を掌握し、ロシア型国家資本主義へと突進したのです。「シロビキ」とは、ＦＳＢをはじめとする治安・情報・国防などの諸機関の関係者をさします。

こうしてプーチンは、いまやピョートル大帝気取りでＦＳＢ強権型支配体制に君臨し、圧政と収奪をほしいままにしているのです。

だからわれわれはロシアの労働者人民にたいして、「今こそプーチン政権を打倒せよ」と呼びかけなければならない。そして同時に声を大にして言わなければならない。

ロシアの労働者人民よ！　諸君が戻るべきところは、「二十世紀最大の惨事」とプーチンが言うところの、ソ連邦が崩壊した一九九一年なのか。あの暗く陰惨なスターリン時代なのか。はたまたツァーリの圧政のもとで貧しき人々が、「パンと土地と平和を」という悲痛なうめき声をあげざるをえなかったあの帝政ロシアの時代なのか。

ロシアの人民が戻るべきところはただひとつ――、全世界のブルジョア支配階級を震撼させ、そして全世界の虐げられた労働者階級に限りない希望と勇気を与えたあの「一九一七年」ではないのか。

一九一七年にロシアの大地で生起した出来事は、一八四八年のマルクスの『共産党宣言』によって告知された「近代から現代への本質的転換」をばロシアの労働者階級の革命的実践をつうじて現実的に実現した事態であり、まさしくわれわれの生きる「現代という時代」を拓いた結節点的な出来事なのだ。たとえ革命ロシアがスターリン主義的に変質し・このゆえについにはスターリン主義ソ連邦が崩壊したのだとしても、またいかにブルジョア支配階級が「二十世紀における共産主義の壮大な実験は失敗に終わった」などと凱歌をあげようとも、われわれの生きる現代史の起点としての「一九一七年」は・その意義は、決して消し去ることはできないのだ。

ロシア・プロレタリアートは、クレムリンを包囲し、プーチン皇帝を打ち倒せ！

ロシア侵略軍の兵士は、一九一七年のロシア兵がそうであったように、銃の向きを変え、この戦いに合流せよ！

そしてウクライナの労働者人民は、〈プーチンの戦争〉をなんとしてもうち砕き、さらに進んでユーラシアの大地に労働者国家を再興するという壮大な一本の道へその歩を進めよ。

――これが、ソ連のタンクにより無慈悲にも踏みにじられた一九五六年のハンガリー革命以来、帝国主義打倒とともにスターリン主義打倒を掲げて一貫してたたかいぬいてきたわが反スターリン主義革命的左翼の心からの訴えなのです。

ウクライナに、ロシアに、そして全世界に、なんとしても反スターリン主義の革命的マルクス主義の運動を波及させ、プロレタリアの自己解放の闘いを再生させたい。こういうわれわれのプロレタリア党としての訴えにも是非共感していただき、全学連のみなさんには、ふやけきった一切の既成の運動をのりこえ、＜プーチンの戦争＞に断固として反対する反戦闘争をさらに創造し展開していってほしいと思います。

Q　はい。私たちもさらに闘います。お聞きしたいことはまだまだ沢山あります。

　中国のネオ・スターリン主義について。「一超」軍国主義帝国アメリカの凋落について。米中角逐あるいは東西新冷戦について。核戦争と第三次世界大戦の勃発の危機について。資本主義国における十九世紀的貧困の現出はソ連スターリン主義の崩壊とどのように関係しているかについて。またなぜ世界中で今ヒトラーやミニ・ヒトラーが闊歩しだしたかについて。さらに地球温暖化について、などなど。

　それから黒田さんと革マル派は、世の中に先駆けること五年も十年も二十年も早く世界の構造的変化を読んでおられると思いますが、これはどうして可能なのかということについても、とても知りたいです。

　しかし時間の関係で今日はここまでとします。いつかまたお願いします。

A　今あげられたすべての問題が、実はスターリニズムの問題とつながっています。ソ連の崩壊をもってマルクス・レーニン主義は命脈が尽きたというのは、ブルジョア階級の歴史観にすぎません。逆に言えば、崩壊したのは反労働者的なスターリン主義にすぎないことに目覚めるとき、マルクス・レーニン主義は燦然と輝き、すべての問題がつながり、世界がまったく違って見えてくるはずです。そして悲惨なこの世界の底に胎動するものも見えてくるはずです。

　若い仲間たちが、世界史の新しい将来を拓くための変革的実践に是非加わられることを願って、ひとまず終わりたいと思います。

　ともに頑張りましょう。

ウクライナ連帯行動世界週間

ウクライナの闘う左翼と熱い連帯

「ウクライナ連帯行動世界週間」にあたって、わが同盟と全学連・反戦青年委員会は、東京および全国各地でのロシア大使館・総領事館にたいする抗議闘争を、世界各国の闘いと固く連帯し、その最先頭でたたかいぬいた(本誌前号参照)。この日本における闘いはいま、全世界の、とりわけウクライナの左翼や労働者・人民のあいだに圧倒的な共感をうみだしている。

戦火のなかでたたかうウクライナの左翼組織「ソツィアルニィ・ルフ(社会運動)」と『コモンズ』誌の編集部からは、二月二十四日のわが闘いの報告に応えて「あなた方の闘いに感謝する」という熱烈な返事がただちに送られてきた(記事A)。

またソツィアルニィ・ルフは、「世界週間」中に各国でおこなわれた連帯デモを、彼らのウェブサイトで紹介した。そのなかで彼らは、日本のわが革命的左翼の闘いを「特筆すべきもの」として、写真付で紹介している(記事B)。

いま彼らは、一部の欧米「左翼」の「アンチ・ウクライナの許しがたい行動」に憤激し、このような自称「左翼」の敵対と対決しながらたたかっている。これら自称「左翼」の腐敗した対応をこの一年間いっかんして弾劾しつつ、ウクライナ人民のレジスタンスと連帯してたたかってきたわが日本革命的左翼の闘いは、彼らウクライナの戦闘的左翼と労働者・人民の熱い共感をかちとり彼らを限りなく力づけてきたのである。

以下では、わが同盟とウクライナの戦闘的左翼とのこのかんの交流と連帯の一端を紹介する。また「ウクライナ連帯ヨーロッパ・ネットワーク(ENSU)」がSNS上で発したわが日本の闘いの写真報告も併せて掲載する(巻頭カラーグラビア参照)。最後に、ソツィアルニィ・ルフのメンバーがこの二月に「インド共産党(マルクス・レーニン主義者)解放　CPIML」の大会に招かれておこなったスピーチの抄訳を掲載する(記事C)。そこでは、ロシアのウクライナ侵略をうち砕く戦いのただなかにおける彼らの欧米帝国主義諸国や自国政府にたいする原則的立場が明瞭に述べられている。それとともに彼らは、「大ロシア・ショービニズム(排外的愛国主義)」にたいするレーニンの批判にまでさかのぼって、プーチンのウクライナ侵略を弾劾している。

われわれは、このウクライナの戦闘的左翼との連帯と交流をさらにいっそう強化していくであろう。今こそ、わが反スターリン主義革命的左翼の真価を発揮して、〈プーチンの戦争〉をうち砕く闘いをさらに強力に展開しようではないか。

A　ウクライナ左翼から寄せられた熱いメッセージ

「圧倒的な支援をありがとう」

ソツィアルニィ・ルフ議長
ヴィタリー・ドゥーディン氏より

親愛なる日本の同志の皆さん、圧倒的な(overwhelming)支援をありがとう!

二月二十四日を銘記するために世界中でおこなわれた連帯行動について、いまわれわれはそれを発表する準備をしています。

あなた方の闘いはとても重要です！

これからもよろしく。

（二月二十六日）

「国際連帯の原則を貫徹する　あなた方に感謝する」

『コモンズ』誌編集部より

連帯行動の報告と写真をありがとう。何よりもまず、あなた方がウクライナ社会を支援する闘いをこのかんずっと組織していることに感謝します。一部の欧米左翼がアンチ・ウクライナの許しがたい行動(＊)を組織しているそのなかで、あなた方のこの闘いは、とりわけ重要です。反帝国主義と国際連帯という原則を貫徹しているあなたたち同志の皆さんに、われわれは心から感謝しています。

同志としての挨拶を送ります。

（二月二十七日）

＊編集局註

二月二十五日にはドイツのベルリンで、旧東独スターリン主義党の流れをくむ「左翼党」の議員の呼びかけのもとに、「NATOの武器供与反対」「いますぐ平和を」と称して、ロシアとウクライナの双方に「即時停戦」を求めるという、実質上プーチンを援護するようなエセ「反戦」デモがおこなわれた。イギリスのロンドンでも、まったく同じスローガンのもとに、〝修正派トロツキスト〟たるクリフ派系の「戦争阻止連合」がデモを呼びかけた。欧米左翼の中にあるこうした傾向を、ソツィアルニィ・ルフなどのウクライナの戦闘的左翼は、「Bothsidesism of idiots（まぬけな反帝国主義）」とか「Anti-imperialism（どっちもどっち論）」とかと呼んで批判してきた。

B 「特筆すべきは東京の行動」
――ソツィアルニィ・ルフが闘争報告

「ルフ」サイト 三月五日 より

世界の主要都市で、ウクライナとの連帯行動が左翼諸組織によっておこなわれた。二月二十四日と二十五日、何万何千もの人びとがデモに参加し、一年以上もつづいているロシアの大規模軍事侵略を弾劾した。黄と青の色は、いまや確実に帝国主義に反対する闘争の象徴の一つになった。

今日、親ロシアのプロパガンダに対抗することが喫緊の課題となっているドイツでの演説は、きわめて注目すべきものであった。ベルリンの「ウクライナ・デモ左派ブロック」のなかで、左翼は「ロシアの占領下では平和はありえない」と強調した。

ロシア帝国主義を擁護するニセの平和主義に対抗する行動が、二月二十五日にロンドンでおこなわれた。侵略にたいしてのウクライナの武装を求めることのカウンターデモを組織したのは、「ウクライナ連帯キャンペーン」ネットワークだ。ベルリンと同様にロンドンでもソツィアルニィ・ルフの現地の活動家がこの行動に参加した。同様に、マルメ(スェーデン)やブリュッセル(ベルギー)でも、わが同志たちが参加した大規模な街頭デモがおこなわれた。

パリ(フランス)では、五〇〇〇人以上がウクライナのレジスタンスを支援して決起した。デモはフランスの三十以上の都市でおこなわれ、政府の反社会的諸政策に反対する闘いをおしすすめている主要労組の組合員も参加した。

ヨーロッパ以外でも、ウクライナと連帯する左翼諸組織が世界中で――ニュージーランドや香港からアメリカ、ブラジルまで――共同行動に参加した。

特筆すべきは東京での行動だ。そこでは、全日本学生自治会総連合（Zengakuren）が、ウクライナとの世界的な連帯行動週間の一環として街頭にうってでた。彼らは、侵略者にたいして断固たるレジスタンスを戦っているソツィアルニィ・ルフとすべてのウクライナ人民への深い敬意を表わした。

ますます多くの左翼が、ウクライナにたいする侵略を、世界の平和を脅かす血にまみれた民族抑圧の所業とみなすようになったことを、ソツィアルニィ・ルフは、本当に心強く思う。連帯と支援をうけることによって、ウクライナは早期に勝利をかちとり、社会正義にもとづく復興に着手することができるだろう。

（原文はウクライナ語）

C 「ソツィアルニィ・ルフとは何か」

CPIML大会でのルフ代表のスピーチ
二月十七日（抄訳）

ソツィアルニィ・ルフを代表して伝えたい重要なメッセージがあります。

第一に、ソツィアルニィ・ルフとは何か、ということです。私たちは、反資本主義的で社会重視志向の行動計画を推進するウクライナの左翼政治組織です。この組織は、ユーロマイダン、すなわちウクライナのかの尊厳革命をきっかけに二〇一四年に設立されました。私たちの綱領的文書の一つには次のように書かれています。

「過去数十年にわたるウクライナの多数の抗議行動の背後にある問題（貧困、著しい不平等、社会的不公正、民主主義の欠如、政界における汚職と既得権益、警察の暴力、市民的および社会的権利への攻撃）は、真の社会革命、つまり既存のオリガルヒ資本主義のシステムを民主主義的社会主義に置き換えることによってのみ解決できる、と私たちは確信している。」

私たちの政治ビジョンには、反資本主義という大きな枠のもとに、民主社会主義からエコ社会主義、社会民主主義から直接民主主義、社会的フェミニズムから急進的社会主義までが、幅広く含まれています。これらすべてを統一するテーマは〝利潤よりも人民を〟です。この展望のもとに私たちは、政治活動家として、ウクライナの労働者を擁護し、法的支援を提供し、規制緩和とＩＭＦ主導の新自由主義的改革に反対し、女性の権利のために起ちあがり、また、ウルトラ民族主義者の暴力にも反対してきました。労働組合運動や国際協力の活動にも積極的にとりくんでいます。

第二に、私たちの反戦のメッセージを伝えましょう。二月二十四日のロシアの侵略開始とともに、そしてそれ以前にも、私たちは世界の左翼に次のことを訴えてきました。〝この戦争はＮＡＴＯとアメリカのせいだ〟といった非難をつづけるのではなく、ロシア帝国主義の復活を確認せよ、と。生きるか死ぬかの闘いがかかっているときに、どっちの「帝国」が「ヨリまし」かなどと考えるのは、ばかげています。わが組織〔ルフ〕は、社会の進歩をめざしてたたかっていますが、その大義は、ウクライナとその人民が、独立と脱植民地化をめざすこの戦いに勝った場合にのみ役だつのです。それが、決定的に重要な前提条件なのです。

周知のように、インドは、様ざまの政治的・経済的・歴史的理由からして、この戦争にたいして「外交的にバランスをとる」アプローチを採用しています。この点にかんして、ＣＰＩＭＬ（註）は、たたかうウクライナ人民との連帯を明確に表明し、ロシアに爆撃の中止と撤兵を要求しています。そのことに、われわれは感謝しています。

同時にわれわれは、アメリカの対露制裁の撤回とＮＡＴＯ拡大の停止をＣＰＩＭＬが呼びかけていることには賛成できません。「アメリカとＮＡＴＯによる干渉と戦争挑発」という言辞にしめされているような、whataboutism（〝ではこっちはどうなんだ〟と論点をずらす論法）を、われわれは断固拒否します。

はっきりさせておきます。われわれルフは、米欧帝国主義者・資本主義者の目的がどこにあるのかを、それが過去のものであれ現在のものであれ、はっきりと認識し批判しています。われわれはまた、自国政府の新自由主義的諸政策に反対してたたかっています。しかし、ロシアによる帝国主義的侵略を、われわれは断じて正当化することはできません。さらにわれわれは、ウクライナがこの戦いを能動的にたたかっているのだということを認めることを、皆さんに求めます。この戦争を西側とロシアとの帝国主義間抗争に還元することは、断じて許されません。一〇〇年以上前にレーニンは、「大ロシア・ショービニズム」は危険だと喝破したのです。だからこそ、ウクライナの主権を認めたのです。まさしくそのゆえにウラジーミル・プーチンは、このことに、あんなにも苛だっているのです。

（中略）

ソツィアルニィ・ルフは、現在の社会経済秩序によってひきおこされている人類にとって最も差し迫った問題を解決するための共同イニシアチブや私たちの活動の連携にかんする対話にかんして、いつでも始める用意があります。

平和、平等、社会正義をかちとりましょう。

註　ＣＰＩＭＬは、かつて武装闘争を戦い分解したマオイスト系インド共産党の後継組織。

〔本稿は、本誌前号掲載の「ロシアの侵略を打ち砕け！　世界中で燃えあがる闘いの炎」の続篇である。なお、ソツィアルニィ・ルフや『コモンズ』誌の主張については、本誌第三二一号を参照せよ。〕

反戦反安保・改憲阻止の闘いを！〈プーチンの戦争〉を打ち砕け

中央学生組織委員会

今春期闘争にうってでるにあたって、われわれ中央学生組織委員会は全学連のすべてのたたかう学生に訴える！

いまウクライナにおいては、ウクライナ軍およびこれと一致結束した人民が現代のヒトラー＝プーチンのロシア侵略軍を迎え撃ち、果敢に戦いぬいている。そしてこのロシアのウクライナ侵略を震源として、軍国主義帝国アメリカとネオ・スターリン主義中国およびロシアとの角逐はますます激烈化し、ここ東アジアにおいても台湾や朝鮮半島を焦点としての戦争勃発の危機が高まっている。こうした東アジア情勢の激動のもとで、日本の岸田政権もまた、アメリカのバイデン政権との日米軍事同盟の強化にもとづいて、「反撃能力の保有」の名のもとに、いまや「専守防衛」をも公然とかなぐり捨て、日米共同の先制攻撃体制の構築へと突き進んでいる。

「改憲阻止！ 大軍拡反対！」全学連が国会・首相官邸にデモ（4月22日）

二十一世紀の歴史を画するこの重大な局面においてわれわれは、＜プーチンの戦争＞を打ち砕く闘いに、そして岸田政権による空前の大軍拡と憲法改悪を打ち砕く闘いに、いまこそ起ちあがろうではないか！

職場深部でたたかう労働者と連帯して、全国のキャンパスから、そして街頭から、「先制攻撃体制の構築阻止！」「大軍拡反対！」「憲法改悪阻止！」の闘いにただちに決起せよ！　日米の対中国グローバル同盟の強化を打ち砕け！　米―中・露激突下での熱核戦争勃発の危機を突破せよ！

われわれは、ウクライナ人民の戦いによって断末魔にあえいでいるプーチンの戦争を最後的に打ち砕くために、ウクライナ反戦の闘いをさらに創造するのでなければならない。

ウクライナ反戦闘争を完全に放棄している日共中央や、「NATOの方が悪い」だの「どっちもどっち」だのとほざき殺人鬼プーチンを擁護している自称「左翼」どもを弾劾しながら、ウクライナ反戦闘争の大爆発をかちとろうではないか！

すべての全学連の学生は、4・22対国会・首相官邸闘争に勇躍決起せよ!

1　米—中・露角逐の熾烈化の下で危機を深める現代世界

A　断末魔のプーチンとウクライナ人民の戦い

ウクライナでは、東部ドネツク州バフムトに三方から攻撃をしかけるロシア侵略軍にたいして、ウクライナ軍・領土防衛隊が、街に残る数千人の住民を守りながら、徹底抗戦を戦いぬいている。このウクライナ側の果敢な戦いは、「三月末までの東部二州の完全制圧」などというプーチンのもくろみを、完全に打ち砕いた。

数のうえでウクライナ軍を圧倒する兵力を投入すれば、街を包囲し制圧することができると浅はかにも高をくくっていたのがプーチンにほかならない。このプーチンは、「ワグネル」の囚人兵やロシア正規軍の部隊をかき集め、司令官も不在の臨時の「突撃分遣隊」なるものを即席ででっちあげて、バフムトへと送りこんでいる。だがこれにたいしてウクライナ軍・領土防衛隊は、みずからの土地とそこに住む住民を守りぬくために命を賭してたたかうという決意をうち固め、ロシア侵略軍を迎え撃っている。つい最近も二万八〇〇〇人の志願兵が合流し、また多くのボランティアが物資を送り届けている。この勇猛な反撃のまえにロシア軍部隊は壊滅に次ぐ壊滅に追いこまれ、累々たる戦死者の山を築いて無惨な敗北を遂げつつあるのである。

バフムトの戦いをたたかいぬいているウクライナのゼレンスキー政権は、プーチンの軍隊をウクライナの地から叩きだすために、さらなる大攻勢にうってでる準備を進めている。「厳冬期の戦い」をたたかいぬき春を迎えたことに凱歌をあげた彼らは、欧州諸国から提供されたドイツ製戦車レオパルトによる部隊の編成が整い次第、ドンバス地域とクリミア半島を分断するかたちで南部ザポリージャ州を突き抜けアゾフ海にまで一挙に部隊を進撃させるという電撃作戦を敢行する構えを見せている。

　これにたいして、ウクライナ軍・人民の戦いによって東部戦線での敗北を強いられているプーチン政権は、いよいよ窮地に追いこまれている。バフムトをはじめとする東部戦線において膨大な戦死者を生みだしたことによる兵力の不足、米欧諸国による半導体などの輸出規制に打撃を受けての兵器生産の停滞、さらには米欧諸国がロシア産石油・天然ガスの輸入価格に上限を設けたことによる国家財政の急激な悪化＝ロシア経済への決定的な打撃……。これらのゆえにプーチンは、いまや断末魔にあえいでいる。ウクライナを民族もろとも抹殺し、その土地を強奪し、ロシア連邦に力ずくで組みこもうとした現代のヒトラー＝プーチン。このプーチンの悪逆無比な侵略戦争は、いまや最後的に打ち砕かれつつあるのだ。

　この決定的な局面において、ウクライナ人民の血に染まった侵略者プーチンにたいする政治的・経済的支援を強めているのが、三期目の体制を確立した中国の習近平にほかならない。

　プーチンの要請に応じてモスクワを訪問し中露首脳会談（二〇二三年三月二十日、二十一日）に臨んだ習近平は、ウクライナ問題の「和平案」などと称しながら、ウクライナに軍事侵略したロシア軍の撤退についてはいっさい触れることなく、むしろ米欧諸国によるロシアへの経済制裁やウクライナへの武器援助を非難したのであった。このようなかたちで習近平は、ウクライナへの残虐無比な侵略を強行し、国

目　次

際刑事裁判所からウクライナの子ども連れ去りの罪で逮捕状が出されている戦争犯罪人プーチンを、政治的に擁護したのである。

習近平が敗色濃厚なプーチンに救いの手を差しだしたのは、プーチンがウクライナに敗退をつづけ、ロシアが再び「亡国」化することを避けるためにほかならない。中国国家を今世紀半ばまでに「社会主義現代化強国」へとおしあげるという野望をたぎらせている習近平は、このかん反米欧の結束をうち固めてきたプーチンのロシアを支えるとともに、∧経済のグローバル化∨のもとで自国を貧窮に叩きこんできた米欧への反発を募らせている「グローバル・サウス」と呼ばれる諸国を反米欧の国際的な陣形のもとに束ねることを策して、右のような対応をとったのである。そして、プーチン・ロシアを政治的に支えることと引き換えに習近平は、ロシアから石油・天然ガスを長期にわたって安価で購入しつづけるという契約を結ぶなどの〝漁夫の利〟をも手にしたのであった。

とはいえ同時に習近平は、ロシアにたいする直接的な軍事支援についてはいっさい言及しなかった。この習近平は、プーチンが懇願した「武器支援」については、「対露軍事支援」を理由とした米・欧諸国による対中国の経済制裁を招きよせるがゆえに拒否したのである。（習近平は、半導体のロシアへの輸出、ベラルーシを経由しての軍事関連物資の輸出など、露骨ではない「軍事援助」を約束した。）

このゆえにプーチンは、習近平が提示した「対話と停戦」については表向きは一致しているとおしだしながら、〝ウクライナと米欧が対話を拒否している以上は軍事行動を継続する〟ということを強調せざるをえなかったのである。

こうして今回の中露首脳会談においては、ウクライナ侵略の強行のゆえの国際的孤立をおし隠すために習近平訪露にすがりついたロシアのプーチンと、このプーチンにたいして、欧米独占体と断絶した「破産国」ロシアへの中国企業の進出、「グローバル・サウス」のからめとりなどをもくろんで政治的・経済的支援にのりだした中国の習近平とが、「反米」を一致点として結束を確認したのであった。このように中露首脳会談なるものは、両者の〝背中合わせの癒着〟をあらわにしただけの茶番にすぎない。それは、ウクライナ問題について「対話と停戦」をうたったにもかかわらず、米欧日対中露の激突にますます拍車をかけたのである。

　アメリカのバイデン政権は、この習近平のモスクワ訪問と中露首脳会談を「ロシアが犯罪を続けるための外交的な隠れ蓑だ」（国務長官ブリンケン）と声高に非難したのであった。「和平案」の提案を煙幕としつつ中国がロシアに軍事支援をおこなっていることを暴きだすことをテコにして、〝主敵〟中国にたいする経済制裁に向けての陣形をつくりだそうとしているのがバイデン政権なのだ。それと同時にこの政権は、同盟諸国を動員しての対中国の軍事的包囲網の形成にいっそう拍車をかけている。日本の岸田政権を動員しての沖縄・九州へのミサイル網の構築や、米英の技術を提供するかたちでのオーストラリアへの原子力潜水艦の配備、中国・ロシアに支えられた北朝鮮にたいしての韓国・尹錫悦政権との米韓合同軍事演習の強行などがそれである。

　こうしていま、ウクライナをめぐる角逐ともからみあうかたちで、東アジアにおける米―中・露の軍事的角逐もまた激化しているのである。

B　台湾・朝鮮半島を焦点に高まる戦争的危機

　東アジアにおけるアメリカと中国・ロシアとの角逐、その最焦点となっているのが、台湾にほかならない。

　全人代において三期目の国家主席の座に就いたネオ・スターリニスト習近平は、「台湾統一」をみずからの使命と任じ、党指導部と政権中枢をみずからの腹心の部下で固めて、「台湾統一」に向けた策動をおしすすめようとしている。

　来年一月の台湾総統選挙に向けて、当面は「独立志向」を鮮明にしている民進党を政権党の座から追い落とすために、習近平政権は国民党への政治的・経済的なテコ入れをいっそう強めている。そして、アメリカのバイデン政権が中国による「台湾併呑」

を阻もうとすることを軍事的に打ち砕く態勢をつくりあげるために、彼ら中国権力者どもは、約三〇兆円もの莫大な軍事費(前年比七・二%増)を投入して、大軍拡へと突き進んでいる。その柱が、極超音速ミサイル「DF17」をはじめとした中距離ミサイル網を中国大陸沿岸部に張りめぐらせることであり、強襲揚陸艦の増配備や空母三隻体制の構築などにほかならない。

これにたいしてアメリカのバイデン政権は、習近平政権による台湾侵攻を阻み・中国軍を撃滅できる軍事態勢を構築するために、台湾への軍事支援を強化するとともに、日本・韓国・オーストラリアとの軍事同盟の強化に拍車をかけている。さらにバイデン政権は、バシー海峡を隔てて台湾に近接するフィリピンのマルコス政権とのあいだで、フィリピン内の米軍拠点を現行の五ヵ所から一挙に九ヵ所に増やすなど、米比の軍事的連携をいっそう強化している。これらの諸国との軍事的・政治的連携を強化しつつ、アジア版NATOというべき対中国の軍事的包囲網の形成を急いでいるのがバイデン政権なのだ。

しかもいま、ドイツのショルツ政権をはじめとするEU諸国権力者もまた、中国への経済的依存を低減し・日本などとの関係強化をはかるという外交政策の転換を鮮明にし、米・日による対中国の軍事的・政治的包囲網に参画する姿勢を前面におしだしはじめた。(ドイツの首相ショルツは、訪問した日本で、中国による台湾の武力統一に反対を表明。現職閣僚が台湾を公式訪問。)

こうして台湾を焦点として、米・日・欧と中・露との角逐が、いま一気に激化しているのだ。

それればかりではない。いま、朝鮮半島およびその周辺海域(日本海・黄海)を舞台として、ロシア・中国を後ろ盾とした北朝鮮とアメリカ・韓国・日本との一触即発の危機が高まっている。

北朝鮮の金正恩政権は、アメリカ全土を射程におさめる大陸間弾道ミサイル(ICBM)「火星15」「火星17」や韓国および日本の軍事拠点を攻撃しうる戦術核を搭載可能なミサイルの発射実験を相次いでくりかえしている。この金正恩政権は、ロシアのウクライナ侵略によって開かれた米―中・露角逐の新局面のなかで、米・韓および日本の軍事的強圧に対抗して、ロシアを後ろ盾とした「核保有国」として米・韓・日に対峙しながら生き残るという道を選びとっている。この政権は、勤労人民を飢餓に突き落としながら、ロシアの核・ミサイル技術の供与を――ウクライナで窮地にあえぐロシア侵略軍への武器・弾薬援助と引き換えに――得ることをテコとして、戦略・戦術核兵器の開発とその実戦配備へと猛進しているのだ。

これにたいしてアメリカのバイデン政権は、日本の岸田政権および韓国の尹政権を従えつつ、米軍の戦略爆撃機B1B「死の白鳥」を朝鮮半島上空に差し向けるなど、金正恩政権にたいする軍事的恫喝をいっそう強めている。米韓両権力者は、三月十三日から連続十一日間の日程で、五年ぶりとなる野外大規模合同演習「フリーダム・シールド」を――北朝鮮側の再三の中止要求をはねつけて――強行したのであった。

こうしていま、露・中に支えられた北朝鮮と、三角軍事同盟の強化にひた走る米日韓とのあいだで、朝鮮半島における新たな朝鮮戦争＝熱核戦争が勃発しかねない危機が急切迫している。ロシアのウクライナ侵略を契機とした東アジア情勢の転回のなかで、南北に引き裂かれた朝鮮人民は、再び戦火に叩きこまれようとしているのだ。

しかもこうした朝鮮半島の激動のまっただなかにおいて、韓国の尹政権は、米・日との三角軍事同盟を修復・強化することを策して、日本帝国主義権力者による傲岸な要求を進んで受け入れるかたちで、「徴用工」問題の政治的「解決策」なるものをうちだした。

かつて朝鮮を植民地支配した日本軍国主義権力者の末裔たる岸田政権は、この韓国・尹政権が日韓関係の〝改善〟のために「解決策」をうちだしたことを〝評価〟し、もって元「徴用工」への謝罪も賠償金の支払いも、いっさい拒否するという傲岸な姿勢をあくまで貫徹したのであった。

こうして〈米―中・露の新東西冷戦〉の熾烈化とロシア・中国に支えられた北朝鮮との軍事的緊張の激化のもとで、また世界的な半導体戦争の激化のもとで、アメリカに仲介された日韓の権力者は、米日韓の新たな三角軍事同盟を構築する道に踏みだしたのである。

だがそれは、中国・北朝鮮に先制攻撃をおこなうことのできる軍事強国へと日本を飛躍させるために、岸田政権が、かつて二〇〇〇万人もの人民を殺戮した日本軍国主義の侵略戦争と植民地支配の罪業の数々を居直り・「大東亜戦争」を聖化するという新たな大罪に手を染めたということにほかならないのである。

〔この岸田文雄は、三月二十一日にウクライナのキーウやブチャを訪問し、「ロシアの残虐行為に強い憤りを感じる」と淡々と述べたのであった。だがこのウクライナ訪問は、国内において政治的無策をあらわにし四面楚歌に陥っている岸田が、G7広島サミットを前にしてみずからの延命のためにおこなった政治的パフォーマンスにすぎない。ちなみに岸田は、命をかけてロシア軍と戦うウクライナの人々にたいして、「必勝しゃもじ」を渡したのであった。この岸田にたいしてゼレンスキーは、「能天気な坊ちゃん」と感じたのではないか。だからこそゼレンスキーは、岸田訪問の翌日には激戦の地バフムトを、またその翌日にはヘルソンを訪れたのではなかろうか。〕

C　熾烈化する米―中・露の角逐

ロシアによるウクライナ軍事侵略を契機として、暗黒の二十一世紀世界は、世界大戦・熱核戦争の危機をますます高めている。

バイデンのアメリカ帝国主義は、いまやネオ・スターリン主義中国による政治・軍事・経済のあらゆる部面におけるキャッチアップに怯えながら、「専制主義にたいする民主主義の闘争」などという旗を掲げて、中国・ロシアにたいする対抗に血眼となっている。

だがしかし、アメリカ権力者が掲げる「自由と民主主義」などという旗は、血塗られた旗以外のなにものでもない。

いまから二十年前の二〇〇三年三月にイラク侵略

戦争を開始した軍国主義帝国アメリカは、「イラクは大量破壊兵器を隠しもっている」という真っ赤なウソをついてイラクの地を蹂躙し数多のムスリム人民を殺戮したのであった。あまつさえアメリカ侵略軍にたいするムスリム人民の反占領闘争が燃えあがったことにたいしては、ＣＩＡによる謀略を仕組んでスンナ派とシーア派との宗派間対立を激化させたのがアメリカ帝国主義ではなかったか。プーチンのロシアとウリ二つの犯罪をくりかえしてきたこのアメリカ帝国主義の権力者が、みずからの血塗られた手をおし隠しながら、「民主主義」の旗を掲げて欧・日などの同盟諸国を束ねつつ、対中国・対ロシアの包囲網形成に血道をあげているのだ。

このアメリカ帝国主義による「ＮＡＴＯの東方拡大」への怨念を募らせ、「大ロシア主義」にもとづくウクライナへの軍事侵略を強行しているのが「大国ロシアの復活」の野望をたぎらせるプーチンのロシアにほかならない。

そして、このプーチンのロシアと結託しつつ、「社会主義現代化強国」の実現に向けて、武力をもってする「台湾の併合」に向けた準備をおしすすめるとともに、「グローバル・サウス」の諸国をみずからの勢力圏に組みこむ策動を強化しているのが習近平のネオ・スターリン主義中国なのだ。

この米（およびその同盟国たる欧・日）と中・露の権力者どもは、それぞれに最先端半導体などの戦略物資や希少金属などの資源を囲いこみながら、世界の再編の野望をたぎらせつつ、政治的・軍事的のみならず経済的な角逐をいっそう激化させている。

米（・欧・日）と中・露の権力者は、「グローバル・サウス」の諸国をみずからの勢力圏にからめとることを策して、食料援助やインフラ支援、さらには兵器供与・軍事支援をおしすすめている。経済危機ののりきりをもかけて各国権力者が途上諸国への武器輸出を一挙に拡大していることは、＜南＞の諸国に新たな戦争の火種をばらまくもの以外のなにものでもない。

こうしていま、＜米―中・露の新東西冷戦＞が熾烈化するなかで、世界各地において戦争勃発の危機が切迫しているのである。

2 日本の軍事強国化に突き進む岸田政権

米―中・露の角逐が激化し、東アジアにおいても台湾や朝鮮半島において戦争勃発の危機が高まっている。このまっただなかにおいて日本の岸田政権は、米軍のもとに自衛隊を一体化させるかたちでの対中国・対北朝鮮の戦争遂行体制の構築を急いでいる。

三月十六日に岸田政権は、沖縄・石垣島への陸上自衛隊駐屯地の開設を強行した。労働者・人民の体を張った抗議の闘いを警察権力を動員して強権的に弾圧し、岸田政権は対中国の最前線拠点の構築を強行したのだ。

この新たな基地に岸田政権は、現行の射程二〇〇キロメートルから一〇〇〇キロメートルへと改造する予定の「12式地対艦誘導弾」などを擁するミサイル部隊を配備しようとしている。「反撃能力」という名の先制攻撃体制の構築をうたった「安保三文書」の策定を強行した岸田政権は、敵基地・敵艦艇への攻撃を担う部隊の配備に現にのりだしているのだ。

この石垣島への陸自駐屯地の開設をはじめとして、岸田政権は、沖縄・南西諸島や九州各地に、先制攻撃能力を備えたミサイル部隊や米軍とともに最前線での戦闘を担う陸上部隊を次々と配備しようとしている。在沖米海兵隊を改編して創設されようとしている「海兵沿岸連隊(MLR)」と一体となって戦闘を担う陸自第15旅団(那覇)の師団への格上げ、与那国島、奄美大島、宮古島、沖縄本島などへのミサイル部隊の配備・増強などがそれである。

「台湾有事」に際して中国軍が「第一列島線」を越えて西太平洋へと展開することを阻止するために、こうした部隊配置をおしすすめているのが岸田政権にほかならない。そして、これらの部隊にアメリカから大量購入するトマホーク・ミサイルや、射程を延長した「12式地対艦誘導弾」などを配備し、対中国の〝ミサイルの壁〟を構築しようとしているのだ。

西には台湾の武力統一をもなしうる軍事体制の構

築に突き進む習近平の中国、北にはミサイル発射をくりかえし核兵器の実戦配備へと突き進んでいる金正恩の北朝鮮、さらにはウクライナ侵略を強行し東アジアでも中国と共同での軍事行動をくりかえしているロシア。これらと海を隔てて対峙している日本の岸田政権は、この中国・北朝鮮・ロシアにたいして、バイデン政権との日米軍事同盟にもとづいて、日本国軍が「打撃力」をも有するかたちで米軍と一体となって「敵国」を攻撃する軍事体制の構築へと現に突き進んでいる。まさにそれは、〝主敵〟中国およびロシアを抑えこむために同盟国の総動員を策するバイデンのアメリカと運命共同体的に一体化し、日米軍事同盟を文字通りの攻守同盟として強化する策動にほかならない。

そしてこの日米軍事同盟の強化と一体のものとして岸田政権は、憲法を改悪する攻撃にうってでている。「戦争放棄」をうたった第九条の改定と「緊急事態条項」の創設を柱とするこの改憲こそは、アメリカとともに「打撃力」をも駆使する日本国軍を有するネオ・ファシズム国家日本の新たな最高法規を制定する攻撃にほかならない。

この改憲を成し遂げるために政府・自民党は、日本維新の会や国民民主党などの改憲翼賛政党とも結託しつつ、今国会で憲法審査会の審議を強行しているのだ。

戦争遂行体制の構築に突き進む岸田政権は、ネオ・ファシズム的な支配体制を強化する攻撃にも手を染めている。かの「日本学術会議」から軍事研究に反対している学者たちをパージする策動を見よ。岸田政権はこうした策動を、大学・研究機関における軍事研究を一気におしすすめることと一体で振りおろしているのであり、まさにそれは、日本の国公私立大学や研究機関を∧戦争する国∨の技術開発を下支えする機関へと改編する攻撃にほかならない。

かつての安倍政権下において、政府に批判的とみなした番組の報道内容を変更させることをねらって、当時の首相・安倍晋三、首相補佐官・礒崎陽輔、総務相・高市早苗らが総務省官僚に圧力をかけ、「放送法」の解釈を変更させていたということがあらわとなっている。このことにもしめされるように、安倍政権以降の自民党政府は首相・ＮＳＣ（国家安全保障会議）専決の日本型ネオ・ファシズム支配体制を強化してきたのであり、岸田政権もまたこれを引き継いで、労働者・人民にたいするファシズム的な攻撃を振りおろしているのだ。

　こうした強権的な支配体制を築きながら岸田政権は、軍事強国・日本の財政基盤を支えるために、労働者・人民からの収奪をいっそう強化しようとしている。

　今後五年のあいだに軍事費をＧＤＰ比二％＝一一兆円超へと引き上げることをうちだしている岸田政権は、その財源を確保するために、東日本大震災の「復興税」の転用、医療機関の積立金の国庫への返納＝流用などあらゆる手口を弄して資金をかき集めようとしているのだ。

　しかもこうした一時しのぎの策では莫大な軍事費をまかなえないことは火を見るよりも明らかなのであり、岸田政権は、いずれ所得税の増税や消費税の税率引き上げなど、労働者・人民からのさらなる収奪の強化に踏みきることも織りこみ済みなのだ。

　こうして岸田政権は、〈米―中・露の新東西冷戦〉が熾烈化する現代世界のまっただなかにおいて、バイデン政権との軍事同盟を強化しつつ、先制攻撃体制の構築を柱とする日本の軍事強国化の策動を一気におしすすめているのだ。

3　腐敗を深める既成反対運動とわが全学連の奮闘

　米―中・露の角逐が熾烈化し、そのただなかで岸田政権が大軍拡と改憲へと突進しているというこの重大な局面において、既成反対運動はきわめて危機的な惨状をさらけだしている。

　日本共産党の志位指導部はいま、「岸田政権の大軍拡反対の一点での国民的運動」なるものを呼びかけている。

　だが彼らは、「大軍拡反対」の大衆運動の組織化を完全に放棄している。四月の統一地方選挙に向けた票田開拓のために、「国民的運動」なるものに下部党員・活動家らを駆りたてているのが志位指導部にほかならない。

　だがそれは、日米軍事同盟に反対することも米―中の相互対抗的な軍事行動に反対することも完全に欠落させたものなのだ。

　ロシアのウクライナ侵略に反対する闘いにかんしても、日共中央は大衆的な闘いを完全に放棄している。ロシアのウクライナ侵略の開始から一年にあたる二月二十四日に開催された日比谷野音集会に際しても彼ら代々木官僚どもは、下部党員・活動家らの組織化をネグレクトした。

　「たたかうウクライナ人民との連帯」を呼びかけるわが革命的左翼のイデオロギー的砲火に揺さぶられた良心的な党員たち、〝ロシアよりもＮＡＴＯが悪い〟などと主張するオールド・スターリニスト連中、そしてこうした党的分解の危機をのりきるために「国連憲章を守れの一点での団結」を訴えることでお茶をにごしている志位指導部らが対立していることのゆえに、ウクライナ反戦の運動から逃亡したのが日共中央なのだ。

　こうした腐敗した日共系の既成反対運動をのりこえるかたちでわが全学連は、反戦青年委員会の労働者たちとともに、反戦反安保・反改憲の闘いやウクライナ反戦の闘いを断固としておしすすめている。２・24の対ロシア大使館労学統一行動をはじめ、いっさいの既成左翼の死滅をのりこえてたたかいぬいているわが闘いは、日本の、そして世界の労働者階級・人民の最先頭で燦然と輝いているのだ。

４　反戦反安保・改憲阻止の闘いを巻きおこせ！

A　「反安保」を放棄する日共中央を弾劾せよ

日本共産党の志位指導部は、「２・24日比谷野音集会」に日共系諸団体や「全労連」傘下の労組員を動員することをネグレクトし、その翌日渋谷での「大軍拡反対」「ウクライナに平和を」などをスローガンとする〝独自闘争〟にアリバイ的にとりくんだにすぎなかった。

明らかにそれは、わが革命的左翼のウクライナ侵略問題や安保・自衛隊問題にかんする党中央にたいする革命的な批判に揺さぶられた下部党員を党組織につなぎとめてゆくための代々木官僚のあがきにほかならない。

わが革命的左翼が放ってきたイデオロギー的弾丸は、いまや日共ネオ・スターリニスト党を思想的にも組織的にもグラグラに揺さぶっている。

全学連のたたかう学生たちは、職場深部でたたかう労働者と連帯して、ウクライナ反戦のとりくみをいっさい放棄する日共中央をのりこえるかたちにおいて、〈プーチンの戦争〉を粉砕する反戦闘争を断固として創造してきた。

このただなかで、「ロシアよりもＮＡＴＯが悪い」とか「ブチャの虐殺はフェイクだ」とかとほざきプーチンを公然と擁護する日共党内のオールド・スターリニストの党員・学者どもの犯罪を弾劾するばかりではなく、そのような犯罪的言辞を弄するのは――党中央と同じく――彼らが世界革命を裏切ったスターリンの末裔であることをこそ主体的根拠としていることを満天下に暴きだしてきた。

いまや、「スターリンの末裔＝プーチンの戦争を弾劾せよ！　レジスタンスをたたかうウクライナ人民と連帯してたたかおう！」というわが革命的左翼の呼びかけが良心的な日共党員・活動家のあいだに広く深く浸透しているのだ。

こんにちの日共党組織は、わが革命的左翼に揺さぶられている良心的な党員と、「ＮＡＴＯの軍拡こそ問題だ」と党中央を突きあげるオールド・スターリニストの党員たちや、松竹某にたきつけられて「自衛隊合憲・安保堅持」の党への「改革」を要求する「右翼的」な党員、そしてこれら「左」・「右」からの批判に挟撃されている志位指導部、というように〝三つ巴・四つ巴〟の内部対立が深刻化し、分解的危機に叩きこまれている。

いまやプーチンを擁護するゴリスタ党員からも、

たたかうウクライナ人民との連帯を訴える反スタ左翼に共感している良心的党員からも批判にさらされている志位指導部。彼らは、ウクライナ侵略から一年の2・24志位談話において、「戦争にいたった背景」は「ロシアも含めた包括的な平和の枠組み（OSCE）が存在」しているにもかかわらず「NATOの側もロシアの側もこの枠組みを生かせなかった」ことだ、とロシアよりもNATOの対応の問題を先にあげたのであった。明らかに志位は、昨年四月の『ウクライナ侵略と日本共産党の安全保障論』では「軍事同盟の問題を侵略の原因論と結びつけて論じるのは誤り」としていた自己の主張を後景化させて、プーチン擁護派に譲歩するような内容をおしだしはじめた。「『国連憲章守れ』の一点での団結強化こそ戦争終結の道」などという「委員長談話」なるものは、ウクライナ侵略問題で大混乱に叩きこまれている党内の抗争を沈静化させることをもくろむ代々木官僚の浅知恵にもとづくものにほかならない。

　自衛隊・安保問題をめぐっても、わが革命的左翼のイデオロギー闘争にさらされて代々木党組織は大混乱にみまわれている。

　志位指導部は、ロシアの侵略以後の「国民の疑問に応える」と称して、「自衛隊活用」論――日共が参加した民主的政権のとる政策として「自衛隊は合憲」であり「急迫不正の主権侵害の場合に自衛隊を活用する」というそれ――を自党の安全保障政策として積極的に提起したのであった(昨年の参院選前)。まさにそれは、〝日本をウクライナのようにしないために「反撃能力」が必要だ〟と叫ぶ岸田政権への屈服にほかならない。

この志位指導部にたいして、下部党員・「九条の会」などの活動家たちからは「なんで今この瞬間に」『攻められたらどうする』という議論に乗るものではないか」などの批判が――あいつぐ国政選挙での大敗の責任を問う声とともに――ほうはいと巻きおこっているのだ。

その他方では、「左側の自民党」をめざして「核抑止なき専守防衛」という安全保障政策をとれ、と右から志位指導部を攻撃している松竹某に揺さぶられる部分も生みだされている(党中央は「分派の禁止」という党規約をタテにして松竹を除名)。

このゆえに志位は、「わが党綱領への攻撃のひとつの焦点は、日米安保条約容認の党への変質を迫るものとなっている」などと金切り声をあげながら、口先では「安保条約廃棄の流れを強める」ための党としての「独自の努力」に「真剣に取り組む決意」を語らざるをえなくなっているのだ。

だが、代々木官僚が久々に語りだした「反安保」の内実たるや、日米軍事同盟の「NATOなどにも見られない特別の危険性」を「伝え」、「本当の独立国と言える日本をつくる」というものにすぎない。結局のところそれは、〝アメリカの「核抑止」さえとり除けば「日本の主権」が確立する〟とほざく松竹と五十歩百歩のものであることを自己暴露するものでしかないのだ。

まさにいま日共の党的危機はとめどもなく深刻化している。結党から百年を経た日共スターリニスト党の恥多き歴史は、わが反スターリン主義革命的左翼のイデオロギー的=組織的闘いの断固たる貫徹によって、最期のときを迎えているのだ。

いまこそわれわれは、心ある日共党員・活動家にたいしてわが革命的左翼とともにウクライナ反戦、反戦反安保・反改憲の闘争に起ちあがるべきことを呼びかけ、反戦闘争の巨大な前進をかちとるのでなければならない。

「岸田大軍拡反対」方針の犯罪性

日共・志位指導部はこんにち、「岸田内閣打倒の国民的大運動」なるものを呼びかけている(七中総)。その方針はいかなるものか。

日共中央はまず、「岸田内閣打倒の国民的大運動の方針」と「総選挙での反転攻勢の構えと目標」とをセットで提起する。そこでは、「空前の大軍拡に反対するたたかい」や「物価高騰から暮らしを守るたたかい」、「原発ゼロ・気候危機打開のたたかい」、「ジェンダー平等を求めるたたかい」といった「各分野の国民の願いにこたえた運動」の〝目標〟はすべて「岸田内閣を解散・総選挙に追いこみ、日本共産党の躍進をかちとる」ことにおかれている。要するに、あらゆる課題の「運動」が統一地方選および総選挙に向けた日共の政策宣伝に解消されているのだ。

さらに志位指導部は、「大軍拡反対」などの「運動」や選挙活動のただなかでも、「一三〇%の党」づくりという「今年の党の最大の任務」をつらぬけ、と号令を発している。

「党勢倍加」のための「自覚的目標と計画」の提示を全支部に強制する中央委員会からの「手紙」にたいして、七割をこえる支部が「返答」を拒否しているほどに、いまや党中央への反発が全組織的に蔓延している。党中央への反発のゆえに選挙活動にも「党勢拡大大運動」にもまったく腰が入らない党員が続出していることに、断末魔の悲鳴をあげているのが志位指導部なのだ。

「空前の大軍拡に反対するたたかい」の方針にかんしては、その特徴は以下の点にある。

(イ)①岸田の「専守防衛に徹する」「自分の国は自分で守る」という「二つの大ウソ」を暴き、「敵基地攻撃能力保有の正体」が「アメリカの戦争に日本を巻きこみ、国土の焦土化をもたらす」点にあることを強調すること。

②こうした大軍拡に反対する〝運動〟を圧力手段にして、岸田政府に「現にある東アジアサミット(EAS)という枠組みを生かして」「地域のすべて

の国を包摂する平和の枠組みをつくっていく」という「平和の対案」(党の外交ビジョン)の採用を求めてゆくこと。

(ロ)岸田政権の大軍拡政策を転換させ・日共式の「平和」の代案を実現するためには、「日米同盟は重要」「多少の軍事費増は必要」という「保守層」も含めた「岸田政権の大軍拡反対」の一点で国民的多数派をつくることが重要だ、と日共中央は強調する。

このかん、「保守層」や立憲民主党におもねって「自衛隊の活用」や「安保条約第五条の活用」など自党の代案の超右翼的緻密化をくりかえし、そうすることで労働者・人民から見放されて国政選挙であいつぐ大敗を重ねてきたこと。こうした日共式〝統一戦線戦術〟の破綻を決して自己批判せず、今度は、大軍拡に異論を唱える「元自衛隊の艦隊司令官」にまでウィングをのばそうとしているのが志位指導部なのだ。もはや病膏肓に入るというべきではないか。

さらに、立憲民主党から選挙協力を拒否されソデにされているにもかかわらず、性懲りもなく「市民と野党の共闘の再構築」を掲げているのが志位指導部なのだ。

(ハ)①「安保条約の是非を超え、緊急の課題で共同する」ことにくわえて、②「安保条約廃棄の国民的多数派をつくる独自の努力」を強調しはじめたこと。①と②を「真剣に取り組む」ことで両者は「相乗的にすすむ」(?)などという「二重の取り組み」なるものは、わが革命的左翼の批判に共鳴する良心的党員をモンピーするとともに、松竹に共感する「右翼的」な党員の批判を抑えこむためのペテン以外のなにものでもない。

「反安保」の放棄

以上のような日共の「大軍拡反対」の運動の方針は、現下の岸田政権の攻撃をまえにして、きわめて無力かつ反プロレタリア的なシロモノにほかならない。

日共中央は、岸田政権の大軍拡について「アメリカの先制攻撃の戦略への従属」とか「対米従属のもとでの軍事一辺倒」とかと〝分析〟上では指摘しても、方針上では「日米軍事同盟の強化に反対する」

ということを完全に抜きさっている。このことが致命的な犯罪なのだ。

　岸田政権がアメリカ製トマホーク・ミサイルなどの攻撃型兵器の導入や軍事費の倍増に突き進んでいるのは、対中国の軍事態勢を構築するために同盟国の力を動員しようとしているアメリカ・バイデン政権に積極的に協力するためにほかならない。岸田政権による空前の大軍拡とは、それじたいが日米軍事同盟の文字通りの対中国攻守同盟への転換を画する一大攻撃なのだ。

　それゆえに、岸田政権による先制攻撃体制の構築をはじめとする空前の大軍拡を打ち砕くためには、「日米軍事同盟の対中国攻守同盟としての強化反対！」「日米グローバル同盟反対！」の旗が高く掲げられなければならない。いまこそ、日本列島を揺るがす「反安保」の労働者・人民の巨大な闘いが組織されなければならないのだ。

　にもかかわらず代々木官僚は、「日米同盟にたいする立場の違いを超えて共同する」という名のもとに、日米軍事同盟の強化を打ち砕く労働者・人民の主体的・階級的力をいかに創造するかという核心問題を完全に放擲しているのだ。それは、中国・北朝鮮の「脅威」を煽りたてて安保同盟の強化を正当化している岸田政権をまえに、労働者・人民を武装解除する犯罪的な方針ではないか。

　こんにち代々木官僚が「二重の取り組み」の名のもとにおしだしている「安保条約廃棄の流れを強める」ための党としての「独自の努力」なるものも噴飯ものである。

　「安保条約をなくしたら不安だ」という「疑問」に「丁寧に答える」と称して彼らは言う。――日米軍事同盟の「NATOなどにも見られない特別の危険性」を「伝え」るとともに、「日本を守るため」のものではなく「逆に日本を危険にさらすという事実を訴える」と。彼らの「日米軍事同盟の解消」の内実は、〝NATO並み〟の「対等・平等な日米関係」への転換のための〝日米軍事同盟の改良〟でしかなく、「日本防衛」という「日米安保条約の建て前どおりの運用」を求めることでしかないのだ。

　日本国軍が米軍の先制攻撃体制の一角を担うとい

うかたちで日米軍事同盟の文字通りの攻守同盟への転換が画されているこのときに、そして安保条約のような国際法的根拠がないにもかかわらず「2＋2」文書などの一片の合意でもって、イギリス・オーストラリアなどとの事実上の軍事同盟関係が構築されているこのときに、代々木官僚の方針では日米軍事同盟の飛躍的強化の攻撃を打ち砕くことなどとうていできないのである。

反プロレタリア的な「平和の対案」

このような日共中央の「大軍拡反対」運動の方針の犯罪性は、「平和の対案」という名の彼らの基本的代案の反プロレタリア的内実に決定されている。

日共中央は言う。――アジアには「NATOのような多国間の軍事同盟はすべて解体」し、「軍事同盟が（日米と米韓の）二つしかない」「（オセアニアの米豪を含めても）三つしかない」。その他方で、東アジアサミット（EAS）のようなASEANが主導する「包括的な多国間の協力の組織が、アジアの安全保障の重要な担い手になっている」のだ、と。

要するに、たった二つ（ないし三つ）しかない軍事同盟の現存などそのままにしても、「EAS」の「枠組み」で〝対話〟をつづけていけばアジアは平和になると称しているのだ。

まさにここには、日米軍事同盟にもとづく日米両権力者による対中国の軍事的強硬策に断固反対することを、――侵略国ロシアと結託してのネオ・スターリン主義中国の軍事的強硬策に反対することとともに――彼ら代々木官僚が完全に放擲していることが鮮明にしめされているではないか。その主体的根拠は、代々木官僚が日米軍事同盟の帝国主義階級同盟としての本質を無視抹殺し、日米軍事同盟の存在を前提にして「平和の外交政策」の採用を現存政府に迫っていることにあるのだ。

いうまでもなく、「台湾の中国化」を「中華民族の偉大な復興」のための「核心的利益」とみなして、この台湾の併呑に向けた軍事行動に拍車をかけているのが、ネオ・スターリン主義中国の習近平政権だ。そしてこの中国を主敵とした軍事戦略にもとづいて中国を包囲する多国間軍事同盟の構築に血眼となっているのが、バイデン政権にほかならない。この米・中の熾烈な激突のゆえに戦乱勃発の危機が日々高まっているのであって、このときに、代々木官僚は「危機は深刻だが、歴史は無駄に流れていない」などとほざきながら「『敵対と分断』から『平和と協力』へ」なる〝展望論〟のようなものになおもしがみついている。これほどバカげたことがまたとあるか！

　こうした妄想に代々木官僚どもが陥るのは、――ロシアのウクライナ侵略によってその破綻が歴然としているにもかかわらず――彼らが、「ＥＡＳ」という「枠組み」をば、げんにいま対立している米・日と中国の国家権力者およびその国家意志からきりはなして実体化し、それじしんが権力者の動向を規制する実体的威力を有するかのようにみなす錯誤に陥っているがゆえにほかならない。

　同時にそれは、みずからが〝こうあるべき〟と考えた願望（「地域のすべての国を包摂する平和の枠組み」）を未来的現実に実在化し、現在的現実からこの未来的現実に向かう過程を実在的に想定（「ＥＡＳ」の「平和の枠組み」としての発展）するとともに、このことをもってみずからの代案（「ＥＡＳを平和の枠組みとするための包括的アプローチ」）の正当性を基礎づけるという、堂々めぐりの倒錯した思考（哲学的にはタダモノ主義）に陥没しているからなのだ。

　われわれは次のことをも突きだし弾劾するのでなければならない。――中国による「力を背景とした現状変更の試み」を「最大の戦略的挑戦」とみなし、これにたいしてブルジョア支配階級の階級的利害を貫徹するために帝国主義階級同盟としての日米軍事同盟を強化しているのが、米・日の権力者にほかならない。これにたいして「社会主義現代化強国」への飛躍という世界戦略にもとづいて中国の党＝国家官僚としての党派的・官僚的利害を貫徹するために対米挑戦にうってでているのが、習近平らネオ・スターリン主義権力者どもなのだ。この米・日―中の権力者どもはそれぞれの階級的および党派的の利害をかけて角逐しているのであって、この非和解性を無視抹殺して「ＥＡＳ」という「枠組み」での政府間の話し合いを進めれば「平和」が実現できるかのように吹聴するなどというのは、反戦・平和の闘いに害毒をたれ流す反プロレタリア的な犯罪なのだ。

さらに暴きだしておこう。彼ら代々木官僚どもは、二〇〇〇年代に彼らが「平和の使徒」と美化してきた「社会主義」中国の権力者のあまりに反人民的な策動に直面したがゆえに、それまで主張してきた「二つの体制の共存」論も「資本主義から社会主義への移行」という「世界史の発展方向」論も最後的に清算せざるをえず、ついに「世界の国ぐにと市民社会」なるものを「平和の国際秩序」を形成する主体とみなすにいたったのだ（二〇二〇年、日共第二十八回党大会での綱領改定）。それゆえに、いまや代々木スターリニストどもは、現存日本国家のあるべき「安全保障論」を現存政府に提言するという文字通りのブルジョア政党の第五列に完全に転落しているのである。

だがしかし、米―中・露角逐下で高まる世界大戦・熱核戦争勃発の危機を突き破る道は、米・日と中国それぞれの権力者に支配されている労働者・人民の国境を越えた団結を創造し・これにもとづく反戦闘争を創造する以外にありえない。それゆえにわれわれは、日本の地において中国権力者と米・日両権力者の軍事的角逐そのものに反対する反戦の闘いを創造するとともに、その国際的波及をめざしてたたかうのでなければならないのだ。

B　反戦反安保・改憲阻止、ウクライナ反戦の闘いの爆発を！

われわれは、全学連のたたかう学生諸君に呼びかける！

〈反戦反安保・大軍拡阻止・憲法改悪阻止〉の一大闘争を巻きおこせ！　〈プーチンの戦争〉を最後的に打ち砕くために、ウクライナ反戦闘争のさらなる高揚を切りひらけ！

われわれは今春期、腐敗せる日共系の既成反対運動をのりこえ、労働戦線でたたかう戦闘的・革命的労働者と連帯して、この二大闘争を全国の学園から断固として創造しようではないか！

先制攻撃体制の構築反対・改憲阻止の闘いの爆発を！

われわれは、米・日と中国との台湾をめぐる軍事的応酬に反対するとともに、東アジアにおいて戦争的危機が高まるなかで岸田政権がふりおろす空前の大軍拡と憲法大改悪という一大攻撃を断固として打ち砕くのでなければならない。

プーチン・ロシアのウクライナ軍事侵略の強行を発火点として、いま東アジアにおいても米・日と中国およびロシアとの戦争勃発の危機が高まっている。台湾をめぐっては、米・日両帝国主義とネオ・スターリン主義中国とが、近い将来の軍事的激突を構え・相手を叩きのめす戦争計画にもとづいて相互に威嚇的軍事行動を強行しているがゆえに、「第一列島線」を攻防ラインとして日々戦争的危機が高まっているのだ。

われわれは、台湾を焦点として高まる戦争勃発の危機を突破するために、「米日—中の相互対抗的軍事行動反対！」の反戦闘争を巻きおこそうではないか。中国による威嚇的軍事行動に反対せよ！　米日の対抗的軍事行動を断じて許すな！

日本帝国主義の岸田政権が、日米一体の先制攻撃体制を構築することをねらった空前の大軍拡、さらには「戦争放棄」をうたう現行憲法の最後的破棄へと突き進むことを絶対に許してはならない。

岸田政権・自民党は、通常国会において憲法審査会の開催を強行し、「緊急事態条項」を手始めにして改憲条文案の策定・国会発議に突き進もうとしている。われわれは、岸田政権による〈軍国日本〉再興のための憲法改悪を木っ端微塵に打ち砕こうではないか！

「戦力不保持」「交戦権否認」をうたう憲法第九条の最後的破棄を許すな！　「国家有事」の際に首相・内閣が議会を経ずに政令を発布しうるとする「緊急事態条項」の創設は、戦時に労働者・人民の反政府的な闘いを弾圧し、民主的諸権利の一切を奪いさるためのものだ。このネオ・ファシズム条項の創設を許すな！

まさに政府・自民党の企む改憲こそは、アメリカとともに他国に先制攻撃をおこなう軍事強国にのしあがるための新憲法の制定という重大な攻撃なのだ。

われわれは、改憲阻止の闘いを、「反戦反安保」「反ファシズム」の旗幟鮮明にたたかおう！

岸田政権は昨年末、中・露・北朝鮮を〝敵国〟とみなし、「反撃能力の保有」をうたう「安保三文書」の閣議決定を強行した。そこには、たとえ日本が攻撃されていなくとも「密接な関係にある他国」への攻撃がなされるならば、それを「日本の存立を揺るがす事態＝存立危機事態」と認定し、これにたいして「反撃能力」を行使しうるなどということが明記された。

それは、「集団的自衛権の行使」の名において、敵国の基地・艦船や軍事中枢を先制攻撃する軍事システムを構築することの宣言にほかならないのであって、「専守防衛」の建前を完全にかなぐり捨て憲法第九条を実質的に葬りさる反動攻撃にほかならない。そうすることで台湾および朝鮮半島において一朝有事となれば、このアメリカとともに日本が敵国（軍）に先制攻撃することを傲然と布告したのだ。

この岸田政権を、われわれは断じて許してはならない。

岸田政権は、米―中・露激突下での日本帝国主義の生き残りをかけて、中国主敵の軍事包囲網構築に血道をあげるバイデンのアメリカと「運命共同体」的に一体化しつつ、日本を「戦争をやれる軍事強国」たらしめるために突進している。それは没落軍国主義帝国アメリカとの心中の道いがいのなにものでもない。

日米軍事同盟の対中国攻守同盟としての強化反対！　日米グローバル同盟を打ち砕け！

われわれは、「台湾有事」を構えての日米一体の先制攻撃体制構築に断固として反対しよう！　米日両政府による米軍のＩＡＭＤ（統合防空ミサイル防衛）構想――軍事衛星網で中国軍の動向を常時監視し・ミサイル基地や軍事中枢に先制的に攻撃を加えるという軍事作戦構想――にもとづく軍事システムの構築は、米日両軍を指揮系統からミサイル部隊までいっそう融合・一体化するものにほかならない。米日統合軍の構築をねらった米日両軍の一体化を許すな！

岸田政権による空前の大軍拡を打ち砕こう。米国製トマホークミサイル四〇〇発の配備阻止！　長射程ミサイルの開発・配備反対！　軍事費大増額反対！

米日両権力者が「台湾併呑」のための軍事態勢構築に突き進む中国に対抗しておしすすめる沖縄・南西諸島の軍事要塞化を断じて許してはならない。

米日両帝国主義とネオ・スターリン主義中国との激突のもとで、かつて第二次大戦時に地上戦によって焦土と化した沖縄は再び戦場となろうとしている。沖縄県学連のたたかう学生は、たたかう労働者・人民と連帯して、いまただちに反戦反基地の一大闘争を巻きおこそうではないか！　辺野古新基地建設絶対阻止！　米海兵隊新部隊の配備反対！　南西諸島のミサイル基地化を許すな！

アメリカ帝国主義バイデン政権によるアジア・太平洋版ＮＡＴＯの構築反対！

米日両権力者がおしすすめる先制攻撃体制の構築や南西諸島の軍事要塞化こそは、日米軍事同盟を対中国攻守同盟として飛躍的に強化する攻撃なのであって、このときに日共中央が「反安保」を完全放棄することは闘いを決定的に歪曲する犯罪いがいのなにものでもない。われわれは、「反安保」を放棄した日共系反対運動をのりこえ、反戦反基地闘争を「日米グローバル同盟粉砕」の旗高くたたかい、その反安保闘争としての内容的高揚をかちとろう！

まさに日本全土が対中国先制攻撃の拠点としてうち固められようとしているいま、日米軍事同盟の帝国主義的階級同盟としての反人民的本性がむきだしとなっている。日米軍事同盟は、米—中・露激突下での生き残りを策す日本帝国主義国家にとって屋台骨をなすものであって、それを打ち砕くためには労働者・人民の階級的団結にもとづく巨大な闘争の爆発をかちとらねばならないのだ。＜基地撤去・安保破棄＞をめざしてたたかおう！

同時にわれわれは、「社会主義」の看板を掲げた習近平中国が、台湾・日本をはじめとするアジア諸国の労働者・人民に核ミサイルを突きつけながら、「台湾の中国化」をねらった強硬策に突き進むことを怒りを込めて弾劾するのでなければならない。ネオ・スターリン主義中国の反人民的軍事行動と核戦力強化に断固として反対せよ！

イラク侵略戦争から二十年――中国・ロシアを「専制主義国家」と烙印し、これらに対抗して「自由と民主主義」の血塗られた旗を掲げて同盟諸国の結束をはかる没落軍国主義帝国アメリカの犯罪をあまねく暴露するのでなければならない。

二〇〇三年、国連決議の採択を袖にし、「大量破壊兵器の存在」という真っ赤なウソをでっちあげて「有志連合」諸国とともにイラク侵略戦争を強行したのが、ソ連邦崩壊によって「一超」の座を手にし・おごり高ぶった軍国主義帝国アメリカではなかったか。イラクの反米・フセイン政権を打倒し石油資源を強奪する野望のために、イラクのムスリム人民を殺戮し・三〇万もの人民を死に追いやったのが軍国主義帝国アメリカであったのだ。まさにスターリニスト・ソ連邦の自己崩壊以後、軍国主義化したアメリカ帝国主義が強行したユーゴ・アフガニスタン・イラクの三つの侵略戦争こそは、戦火と圧政に覆われた〈暗黒の二十一世紀世界〉への扉を開いた世紀の犯罪にほかならない。

傲岸と暴虐の限りを尽くし没落の急坂を転げ落ちた軍国主義帝国アメリカと、これを追い落とし「二十一世紀の覇者」の座にのしあがらんとするネオ・スターリン主義中国および大ロシア主義者で戦争狂のプーチンのロシアとが激突し、全世界人民を熱核戦争の危機に叩きこんでいることを、われわれは断じて許してはならない。

わが日本革命的左翼は、ゴルバチョフ一派によるソ連邦の解体、革命ロシアの埋葬という「歴史の大逆転」を再逆転するという決意に燃えてたたかってきた。いまこそ全世界人民は、わが革命的左翼とともに起て！

われわれは、反戦反安保・改憲阻止の闘いを、〈米―中・露激突下の世界大戦勃発の危機を突き破れ〉の革命的スローガンを高々と掲げてたたかおう！

米韓日と中露をバックとした北朝鮮との軍事的応酬によって高まる朝鮮半島での戦争的危機を突破せよ！

北朝鮮・金正恩政権によるミサイルの連続的発射＝核攻撃訓練の強行弾劾！　米韓、米日韓の合同軍事演習の強行反対！　日米韓三角軍事同盟の構築・強化を許すな！

岸田政権が「徴用工問題の政治的解決」の名において、日本軍国主義の植民地支配の犯罪を居直ることを許すな！

朝鮮戦争の休戦協定締結から七十年――かつて日本軍国主義の植民地支配に組み敷かれ、第二次大戦後にはアメリカ帝国主義とソ連・中国スターリン主義によって南北に引き裂かれ、半島の八割を焦土と化し三〇〇万もの死傷者をだした朝鮮戦争の戦火に突き落とされた朝鮮人民。東西対立のもとで分断され戦火と苦難を強いられた南北朝鮮の人民はいま、米―中・露激突のもとで再び熱核戦争の劫火に叩きこまれようとしている。このことを反スターリニストであるわれわれは絶対に許すわけにはいかない。

われわれは、朝鮮・中国・アジアの労働者人民にたいして、まさに日本プロレタリアートの立場において、かつて日本軍国主義の権力が朝鮮半島を植民地支配に組み敷くことを阻止できなかったことを自己批判するのでなければならない。そしてこのような立場に立脚してわれわれは、南北朝鮮人民にたいして、米日の戦争政策に断固反対するとともに、「自国政府の戦争政策に反対し断固たる闘いに起て、南北朝鮮のプロレタリア的統一をめざしてたたかおう」、と呼びかけるのである。

全学連のすべての学生は、労働戦線の戦闘的・革命的労働者と固く連帯して、革命的反戦闘争の嵐を巻きおこそう。米・日―中・露激突下で高まる戦乱勃発の危機を突破する唯一の道は、全世界の労働者階級・学生・人民のプロレタリア的団結とそれにもとづく闘いの創造をおいてほかにない。われわれは、プロレタリア・インターナショナリズムの精神をわがものとして、たたかう労働者階級とともに全世界人民にたいして自国政府の戦争政策に反対する反戦闘争への決起を呼びかけつつたたかおう！

われわれは、岸田政権が大軍拡のために大衆収奪を強化しようとしていることを許さず、改憲・大軍拡に反対する闘いを、「軍拡のための大増税・社会保障切り捨て反対！」のスローガンを掲げてたたかおう！

岸田政権は、先制攻撃体制構築のために、国家主導での最先端軍事技術の開発や軍需産業の育成を推進しようとしている。「経済の軍事化阻止」「血税を投入した軍需産業の支援反対」「殺戮兵器の輸出反対」をも掲げてたたかおう！

ネオ・ファシズム支配体制の強化を打ち砕け！

岸田政権が、日本を「戦争をやれる国」に飛躍させるために、政・財・官・労・学・マスコミの〝鉄の六角錐〟をいっそう強固にうち固め、NSC専制の強権的＝軍事的支配体制を強化することに断固として反対するのでなければならない。

いま政府・自民党が、安倍政権のもとで総務相であった高市を先頭にして、政府に批判的なテレビ局に放送法の「政治的公平性」の条項をタテにして「停波」の脅しをかけてきたことを裏付ける行政文書が暴露された。まさに歴代自民党政府は、「戦争をやれる国」への飛躍のために、政府に批判的な言論を徹底的に封殺し、マスコミを「大本営発表」を垂れ流す御用機関へとつくりかえることを企んできたのだ。ネオ・ファシスト高市らによる放送法をタテにした言論弾圧弾劾！　岸田政権によるマスコミ統制の強化を許すな！

岸田政権は、政府が主導し、政・官・財・学が一体となってハイテク軍事技術の研究・開発を推進する体制を創りだすことを企んでいる。まさにそのために、岸田政権は、日本学術会議から安保法制に反対する学者をパージしつづけ、学術会議そのものを御用機関たらしめるために学術会議法の改悪を強行せんとしているのだ。大学での軍事研究推進反対！学術会議法の改悪を許すな！

政府・文部科学省に尻をたたかれた反動大学当局による、キャンパスから反政府的な運動を一掃することをねらった一切の策動を許すな！　新たな革命的学生運動破壊攻撃を木っ端微塵に打ち砕け！

愛知大学当局による学生会館の管理運営権剥奪・自治会費の委託徴収制度の廃止という自治破壊攻撃を打ち砕くために不屈にたたかう愛大生と連帯して、

各大学のキャンパスにおいて革命的学生運動の前進を切りひらけ！

＜プーチンの戦争＞を打ち砕け！

われわれは、プーチンのウクライナ侵略戦争に反対する大衆的とりくみを完全に放棄しさった日共中央の腐敗をのりこえ、日本の地において＜プーチンの戦争＞を打ち砕くウクライナ反戦闘争のさらなる高揚を切りひらこうではないか！

ウクライナ侵略開始一年となる二月二十四日、わが全学連は、反戦青年委員会のたたかう労働者と固く連帯して、ロシア大使館にたいする怒りのデモに決起した。われわれは、プーチンを擁護する自称「左翼」どもの腐敗を怒りを込めて弾劾し、侵略開始の直後から一年有余にわたってウクライナ反戦闘争の炎を燃えあがらせてきたのだ。

わが革命的左翼の発した「ウクライナ人民はレジスタンスを戦え！」の革命的檄は、わが労学のたたかう勇姿とともにウクライナの地に届き、たたかうウクライナ人民の熱き共感を生みだし、さらに世界各地へと広がりつつある。

すべての諸君！　米―中・露が激突する＜暗黒の二十一世紀＞を根底から突き破り労働者階級・人民の未来を切りひらきうるのは、日本革命的左翼をおいてほかにない。その自負と誇りに燃え、＜プーチンの戦争＞を最後的に打ち砕くために全力で奮闘しよう！

ウクライナ軍・人民は、プーチンの侵略軍によるバフムトをはじめとする東部諸都市への冬の猛攻を打ち砕き、命を賭してこれを守りぬいている。この軍と人民が一致結束しての英雄的な闘いこそが、「三月末までの東部二州制圧」を号令した侵略者プーチンの攻勢を打ち砕き、侵略軍を全占領地から叩きだすための反転攻勢への道を切りひらいているのだ。

われわれは、全占領地から侵略軍を叩きだすために不屈に戦いぬくウクライナ人民と固く連帯して、＜プーチンの戦争＞を最後的に打ち砕くウクライナ反戦闘争の爆発をかちとろう！

プーチンの侵略軍によるドンバス攻撃を木っ端微塵に打ち砕け！

追いつめられたプーチンは「新ＳＴＡＲＴ（戦略核兵器削減条約）」の履行を一方的に停止し、戦略核兵器の増強に血眼となっている。プーチン政権による核恫喝を断じて許すな！

われわれは、日本の地においてウクライナ反戦闘争を推進するただなかで、ウクライナ・ロシア人民にさらに呼びかけてゆくのでなければならない。

ウクライナ人民は占領地を奪還し、侵略軍を打ち破るためにレジスタンスを戦いぬけ！　プーチン政権の凶暴な弾圧下で「反プーチン」の闘いの火を燃やしつづけるロシアの労働者・人民と連帯して、彼らに「プーチン政権打倒」を呼びかけつつたたかおう！

侵略者プーチンによる、〝冬のテロ〟を――スターリンの「ホロドモール」の記憶と重ねて――怒りを燃やし打ち破り、いま〝春の一大攻勢〟に向けて闘志を燃えたたせているウクライナ人民よ！

いまこそ〈プーチンの戦争〉を打ち砕け！　東南部四州奪還へ突き進み、占領者どもをウクライナの地から一人残らず叩きだそう！

ウクライナの人民が、圧政と抑圧を強いてきたソ連邦の「社会主義」こそは「一国社会主義」を根幹としたエセ・マルクス主義としてのスターリン主義いがいのなにものでもないことに目覚めたとき、そしてさらに、一九一七年のロシア・プロレタリア革命に「ウクライナ社会主義ソビエト共和国」として合流したあの精神を再びこの二十一世紀現代において実現する決意をかためたとき、そのときウクライナの労働者・人民は世界史の輝かしい未来を切りひらく先駆者となるのだ。

プーチン政権の凶暴な弾圧と侵略戦争への強制動員に抗してたたかうロシア人民よ！

プーチン政権による「予備役動員令」を打ち砕け！　侵略の銃口をウクライナの兄弟たちに向けることを強制する〝小ツァーリ〟プーチンの暴虐を許さず、その銃口をプーチンに向けよ！　ウクライナ人民と連帯して、プーチン＝ＦＳＢ（ロシア連邦保安庁）強権体制打倒に決起しよう！

ロシア人民は、スターリン主義の反マルクス主義的本質に目覚めたたかおう！　ゴルバチョフ一派によるソ連邦の解体とエリツィンによる資本主義化によって「亡国」と化したロシアの荒廃のうえに、謀略と戦争を駆使してFSB強権型支配体制を構築し、またそのもとでソ連邦の国有財産を簒奪しFSB強権型国家資本主義という経済構造をつくりだしてきたのが、元KGBの小官僚プーチンだ。ロシア人民を奈落へと突き落としてきた張本人であるこの大ロシア主義者が、「分離の後の連邦制」を唱えたレーニンに悪罵を投げつけながら、ウクライナ民族抹殺の侵略戦争を強行しているのだ。これこそは、スターリンの末裔たるプーチンの歴史的大罪である。

いまこそプーチンの煽りたてる「大ロシア主義」の虚偽性を暴きだすと同時に、血塗られたスターリニズムと主体的に対決し、もって一九一七年革命の精神を蘇らせ侵略戦争に狂奔するプーチン政権打倒に総決起せよ！

われわれはウクライナ・ロシアの人民にこのことを熱烈に呼びかけつつ、日本の地においてウクライナ反戦闘争をさらに強力に推進しよう！　わが反戦闘争の国際的波及をかちとるために奮闘しよう！

大増税、学費値上げ反対！　原発・核開発阻止！

岸田政権は、狂乱的な物価高のもとで労働者・学生が困窮のどん底に突き落とされているなかで、軍事費を対GDP比二％に倍増させるために大衆収奪を一挙に強化しようとしている。労働者・人民を貧窮に突き落とす軍拡のための大増税・社会保障切り捨てに反対しよう！

いま学生たちは、空前の物価高のもとで食事や水光熱費を切りつめる困窮生活に突き落とされている。このときに大学当局に学費を値上げするように迫っているのが政府・文科省なのだ。全国の学生は、学生自治会の旗のもとに団結し、国公私立大学の学費値上げ反対の闘いを巻きおこせ！

こんにち、アメリカ・シリコンバレー銀行（SVB）など数行の連続的破綻、スイス第二の巨大金融資本クレディ・スイスの経営危機（スイス当局のテコ入れのもとにスイス最大手UBSが買収）などにしめされるように、金融資産バブルのあいつぐ崩壊による大手銀行の同時的な経営破綻が現出し、世界金融恐慌を招来しかねない危機が切迫している。

まさにいま現出しているのは、わが同盟がつとに暴露してきたところの、〈パンデミック恐慌〉にみまわれた現代帝国主義世界経済の断末魔いがいのなにものでもない。このかん主要国の金融当局は、二〇二〇年いらいのコロナ・パンデミックに直撃された自国独占資本の救済のために膨大な〝緩和マネー〟をまきちらしてきたのであった(「財政ファイナンス」政策の採用)。そして、そうすることによって招きよせた猛烈なインフレを抑制するために、これら金融当局(日銀をのぞく)が軒並み利上げに転じるやいなや、〝緩和マネー〟の撒布によって束の間延命させられてきた各国金融資本の破綻的危機がたちどころに顕在化しはじめたのだ。

米・欧・日の独占資本家どもとその政治委員会は、さし迫る金融危機をのりきり延命をはかるために、このかん空前の物価高による生活苦を強制してきた自国の労働者階級・勤労人民を、さらなる貧窮の奈落に叩き落とそうとしている。われわれは断じてこれを許してはならない。貧窮の強制に抗してたたかう全世界人民と連帯してたたかおう!

われわれは、ロシアのウクライナ侵略を契機とした燃料価格高騰のなかで「エネルギー危機」を煽りたてながら原発推進に転じた岸田政権を怒りを込めて弾劾する。「原発の最大限の活用」をうたう原発推進法の制定を許さず、原発の再稼働・新増設を阻止せよ! 老朽原発の運転継続反対! 岸田政権が今夏までに企む東京電力・福島第一原発の放射能汚染水の海洋放出を許すな!

全国のたたかう学生諸君!

われわれは、〈反戦反安保・大軍拡反対・憲法改悪阻止〉の闘い、ウクライナ反戦闘争、大増税や学費値上げに反対する政治経済闘争、原発・核開発反対闘争などの諸闘争を推進しよう! すべての闘いを集約し、二三春闘勝利、改憲・大軍拡阻止のためにたたかう戦闘的・革命的労働者と固く連帯して、岸田日本型ネオ・ファシズム政権の打倒めざしてたたかおう!

特集　23春闘

物価高騰下の賃下げ攻撃に抗して

「構造的賃上げ」を叫ぶ政府・独占資本家への屈従宣言

――二〇二三年版『連合白書』の反階級性――

津軽静一

ネオ・産業報国運動に陥没する「連合」芳野指導部を許すな!

激しい物価高騰のただなかでむかえた二〇二三春闘はいま、わが革命的・戦闘的労働者たちの職場・生産点での奮闘にもかかわらず、大多数の労働者が物価高騰分の取り戻しにもならない超低額・率の「賃上げ」に抑えこまれ、中小企業労働者や非正規雇用労働者の「賃上げゼロ」も相次ぐなかで、収束させられようとしている。三月中旬の大手集中回答期間に自動車や電機などの独占資本家どもが示した「満額回答」なるものの内実は、彼ら独占資本家どもが国内外で争奪戦を激化させている一部のデジタル技術労働者や「経営幹部」として確保・育成をはかる労働者などの賃金引き上げを中心としたものでしかない。こうしたいわゆる〝高度人材〟の獲得に資金を投じるためにも、他の多くの労働者の賃金についてはこのインフレ下においても徹底的に抑制・切り下げをはかってきているのが独占資本家どもなのだ。

にもかかわらず「連合」労働貴族は、この悪辣な賃金抑制攻撃をうちくだくための闘いをつくりだすどころか、〝高度人材〟争奪をかけた自動車独占資本家などの「満額回答」・「高額回答」なるものを天までもちあげ、「二〇一四年闘争以降で最高となる賃上げ」であり「労使が粘り強くかつ真摯に交渉した結果」だ、などと浮かれている始末なのである。これこそは、独占資本家どもが――現下の物価高騰にたいする「賃上げの必要性」を岸田政権に呼応してうそぶきつつ――賃金抑制攻撃を熾烈にかけてきていることへの屈服の宣言以外のなんであるか。まさに今春闘はいま、「連合」労働貴族どもの腐敗した指導のゆえに、大敗北の途を突き進んでいるといわなければならない。

今二三春闘がこのような危機に陥っているのは、なによりも「連合」労働貴族どもが、<「人への投資」を起点とした「成長と分配の好循環」実現のために、「政労使」一体で取り組む>などという「方針」のもとに、岸田政権と独占資本家どもに抱きつき、そうすることによって、彼ら日本支配階級がいま血道をあげているデジタル化・脱炭素化を基軸とした産業構造・事業構造の大転換の追求と、そのための「構造的賃上げ」という賃金・雇用・労働政策の改変の策動に、全面協力を誓って立ち回っているからなのだ。

賃金を引き上げたければ「リスキリング（学び直し）」でデジタル技術を習得し、「円滑な労働移動」＝〝成長分野〟への転職・配転を不断にはかれ、そうすることによってより高い賃金を得られるようにしろ、というのが政府・独占資本家どもの言う「構造的賃上げ」なるものにほかならない。新型コロナ・パンデミックとロシアのウクライナ侵略を契機として、デジタル化の立ち後れとエネルギーや食糧の確保における決定的な脆弱性を突きつけられた日本支配階級が、米中激突下での日本帝国主義の生き残りを賭して、〝デジタル人材〟を確保・育成するために労働者たちを「リスキリング」のふるいにかけ、そこから落ちこぼれる者は超低賃金で酷使し使い捨てるという階級的意志をむきだしにして襲いかかってきているまさにこのときに、階級協調主義に骨の髄まで冒されることによって、こうした攻撃のまえに膝を屈し労働者たちに屈従を強いているのが「連合」労働貴族どもなのである。

革命的・戦闘的労働者たちは、今二三春闘を大敗北へと導きつつある「連合」指導部のこの腐敗した対応を弾劾しのりこえ、春闘の戦闘的高揚のために最後まで奮闘するのでなければならない。「連合」二三春闘の現実的破産とそのイデオロギー的根拠を徹底的に暴露しのりこえていくためのイデオロギー的=組織的闘いを、労働組合員として、また労組役員として、いまこそ断固としてくりひろげようではないか。こうした闘いをおしすすめるために、ここでは『連合白書』(「二〇二三春季生活闘争の方針と課題」)で展開されている「連合」二三春闘方針の反階級性をあばきだすことにしたい。

「連合」二〇二三春季生活闘争方針の特徴

A 「慢性デフレ」克服を口実とした賃上げ自制

「くらしをまもり、未来をつくる。」と銘うって「連合」芳野指導部がうちだした『連合白書』(「二〇二三春季生活闘争方針」)、その特徴は次のようなものである。

まず第一に、生活必需品価格や電気・ガス料金などが軒並み一〇〜三〇%も引き上げられ、労働者がいっそうの生活困窮に追いこまれているこのときに、「くらしをまもる」という触れ込みにもかかわらず、「三%程度」などという実質賃金の低下をもたらすものでしかない超低率の「賃上げ要求指標」を掲げたことである。しかも、昨年までと同様に、〝賃金水準を考え「底上げ・格差是正」に重点を置く〟と強調することによって、この「要求指標」にのっとった超低率の要求さえも、賃金水準の低い労働者の底上げをはかることに絞れ、と指示しているわけなのだ。

　このように現下のインフレ昂進のもとで、傘下諸労組七〇〇万余の組合員に賃上げ要求の「自制」を号令しているのが「連合」芳野指導部なのである。彼らは、日本経済の現状を〝「慢性デフレ」から抜け出せないうちに「急性インフレ」にも襲われている〟と描きだし、〝持続的な賃上げのためには、「急性インフレ」に直対応するのではなく、「慢性デフレ」から脱却して安定的な経済成長をはかることが必要だ〟などという詭弁を弄することによって、この「自制」要求を正当化し居直っているのである。

　第二の特徴は、このように賃上げ要求の「自制」に心をくだく他方で、今の物価高騰の大波は〝賃金と物価が「安い日本」を「賃金も物価も経済も安定的に成長するステージ」に転換する「好機」だ〟などと言い放ち、「人への投資」を起点とした「成長と分配の好循環」によって「安い日本」の克服をはかれ、と政府・独占資本家どもに得々と説いているということである。

〈「人への投資」──→労働者の能力・意欲の向上／所得増──→企業の適切な価格転嫁／消費拡大──→企業の利益向上──→「人への投資」──→……〉というシェーマで説かれているこの「成長と分配の好循環」なるものは、まさに首相・岸田文雄が唱え経団連会長・十倉雅和も唱和している「構造的賃上げ」に呼応した「連合」労働貴族によるその言い換えにほかならない。このような「好循環」論をふりまくことによって、政府・支配階級が「構造的賃上げ」の名のもとにかけてきている一大攻撃を、全面的に受けいれ協力し、労働者たちに屈服を強いようとしているのが「連合」芳野指導部なのだ。

　しかも彼らは、「成長と分配の好循環」の一環として、企業による「適切な価格転嫁」の推進をも、いまや声高に叫びたてている。直接的には中小企業の「賃金低下」の是正を名分としたこのような「価格転嫁」の尻押しは、資本家どもによる商品やサービスの価格の〝適切な〟値上げを、したがってインフレの〝適切な〟昂進を、労働組合のナショナル・

センターである「連合」の指導部が公然と求めるものにほかならない。このようなインフレのマイルドな進行を「連合」指導部が追い求めるのは、まさに彼らが、政府・独占資本家どもがふりまいている「安い日本」を脱却するためには「デフレマインド」を払拭しなければならない、などというブルジョア的俗論に、完全に毒されてしまっているからなのだ。だからこそ彼ら「連合」指導部は、現下の急激な物価高騰を、「安い日本」から脱却する「好機」と口走ってさえいるのである。

いま政府・独占資本家どもが、〝この三十年、欧米諸国などと異なって日本だけが賃金も物価も上がらず経済成長しない「安い日本」になってしまった〟などと騒いでいるのは、新型コロナ・パンデミックと〈プーチンの戦争〉を引き金とした米中対立のいっそうの激化のもとで、デジタル化の立ち後れとエネルギー自給率一〇%・食料自給率三七%に示される日本帝国主義経済の根本的な脆弱性を突きつけられ、この危機突破のために労働者にいっそうの犠牲を強要しようとしているからにほかならない。

そもそも賃金も物価も上がらない「安い日本」などとほざくのは、バブル経済崩壊以後、独占資本家どもが、国内ではリストラをくりかえし首切り・賃下げを強行するとともに、海外において〝より安価な労働力〟に群がって強搾取をほしいままにし、内部留保を五〇〇兆円を超えるまでに膨らませてきていること、この悪辣な全体構造をおし隠すものにほかならない。しかも、搾取欲をむきだしにしたこうしたみずからの悪行には口をつぐんで「賃金も物価も上がらない日本」などとうそぶくだけでなく、こうなったのは労働者・人民が賃金も物価も上がらないものと思い込むデフレマインドに落ちこんでいるからだ、などと傲然と居直っているのが独占資本家どもなのである。にもかかわらず、このような独占資本家どもの破廉恥きわまる言い草をそのままオウム返しにしているのが、「連合」指導部なのだ。

まさに、「安い日本」なるものから脱却し日本資本主義経済の復活を実現するためのテコとしてインフレの昂進を求めるまでに、反階級性を露わにしているのが「連合」芳野指導部にほかならないのである。

そして、このような「安い日本」を克服して「経済社会のステージ転換」をはかるために「政・労・使」が協力してとりくむことをば今春闘の中心に据えることによって、いまや春闘を〈日本経済再生のための政労使協議〉なるものへと完全にねじ曲げようとしているのが、彼ら「連合」指導部なのだ。これが「連合」二三春闘方針の第三の特徴にほかならない。

岸田政権の「新しい資本主義実現会議」に嬉々として参加し、岸田が唱えている「リスキリング」・「円滑な労働移動」・「日本型職務給の確立」による「構造的賃上げ」などという「三位一体の労働市場改革」策のお先棒を担いでいるのが「連合」会長・芳野友子である。春闘大手集中回答日の三月十五日には、岸田が呼びかける形式で八年ぶりに開かれた「政労使会議」において、〝大手賃上げ回答の勢いを中小企業に拡げる〟と言いつつ「適切な価格転嫁」の推進を「政・労・使」で謳いあげたのであった。このことは、「連合」二三春闘の特徴を、その危機性を象徴的に示したものにほかならない。まさに政労使協議路線に骨の髄まで冒され、今二三春闘をば「安い日本」からの脱却を賭した「構造的賃上げ」と「適切な価格転嫁」を推進するための政労使協議の〝深化〟へと解消し、大敗北へと導いているのが「連合」芳野指導部なのだ。

物価高騰下での超低率の賃上げ「自制」要求

以上のような三つの特徴にまとめることができる「連合」の二三春闘方針、これはあまりにも反階級的なしろものではないか。

そもそも、急激な物価高騰に労働者・人民が苦しんでいるこのときに、「三%程度」などという超低率要求の「指標」なるものを平然と掲げられるのは、彼ら「連合」労働貴族どもが、独占資本家に飼い馴らされ、労働者の生活苦とはまったく無縁な存在と化しているからなのだ。だからこそ日々の生活維持に四苦八苦している労働者たちにたいして平然と「急性インフレに直対応するな」などと言い放つこともできるのだ。彼らは、ただただ政府がしめす経済統計の数値を眺めまわして「賃金が物価上昇に追いついていない」「実質賃金の低下が続いている」などとつぶやいているだけであって、「実質賃金の低下」に言及したとしても所詮は他人事(ひとごと)なのである。「連合」結成いらい、資本家どもの賃金抑制攻撃をことごとく受けいれ、労働者に屈服を強いてきたのはいったい誰であるのか!

「連合」労働貴族がいま実質賃金の低下を問題視しているのは、物価も上がらずデフレが続いて「安い日本」に陥っているということからでしかない。〝賃金と物価と経済の安定的な上昇による日本経済再生〟などという観念的な処方箋を思い描き、これを現実に投影して〝そうなっていない〟と確認しているだけなのだ。そうであるからこそ、〝経済の安定成長のための適正な賃上げ〟などとほざきつつ、実質賃金の低下にしかならない「三%程度」などという超低率の「賃上げ要求指標」を臆面もなく掲げてもいられるのである。

そもそも、日本の労働者の平均賃金が一九九〇年代後半から下がり続けてきているのは、〝バブル経済〟崩壊後に日本の独占資本家どもが賃金を徹底的に抑制し削減し労働者を強搾取してきたからにほかならない。〝バブル崩壊〟として現出した日本帝国主義経済の危機をのりきるために、独占資本家どもは、――ソ連邦崩壊に凱歌をあげたアメリカ帝国主義が〈経済のグローバル化〉をおしすすめるなかで――低賃金労働力を求めて中国などアジア諸国に進出し直接投資・現地生産を拡大するとともに、国内では工場の統廃合・リストラを強行し、〝一億総中流社会の到来〟などと吹きこんで酷使してきた労働者たちに首切り・賃下げ、非正規雇用への転換などの大攻撃を熾烈にうちおろしてきたのであり、こうして数多の労働者・人民が〈古典的貧困〉と呼ばざるをえない困窮生活に突き落とされてきたのだ。とりわけ、非正規雇用労働者が全労働者の四割を占めるまでに激増させられてきたこと、生活維持のために「正社員」賃金の半額ほどの超低賃金で働きつづける女性や高齢者の増大、そしていわゆる3K職場やサービス産業、農業などで法定最低賃金さえ無視した超低賃金でこき使うための日系ブラジル人などの受け入れ（一九九〇年に入管法改定）やアジアなどからの労働者の受け入れ（一九九三年に外国人技能実習制度を創設）がなされてきたこと、これらが重なりあうかたちで四半世紀以上も続けられてきたことが、日本の労働者の賃金を長期にわたって低落させつづけてきたのである。

許しがたいことに、独占資本家どものこうした悪辣な賃金抑制・リストラ諸攻撃が、革命的・戦闘的労働者の奮闘にもかかわらずことごとく貫徹させられてきたのは、既成労働運動指導部とりわけ「連合」労働貴族どもの裏切りにつぐ裏切りのゆえなのだ。バブル経済の崩壊に直面した独占資本家どもが、「日本の賃金は世界最高水準になった」とほざいてかけてきた「賃上げゼロ」攻撃にたいして、「連合」労働貴族は〝量（賃上げ）ではなく生活の質の改善（ゆとり・豊かさ）を追求する〟などとうそぶいて全面屈服し、九〇年代半ばには産別勢揃いの統一闘争を産別自決の賃上げ方式に転換していわゆる「春闘方式」さえも破壊してきた。そして二〇〇〇年代に独占資本家どもが「賃下げをともなうワークシェアリング」などと称して〝賃下げも・首切りも〟という一大攻撃をふりおろしてきたときには、「雇用確保のための緊急避難」などと称して賃上げ要求そのものを放棄するにいたった。このように、まさに独占資本家どもがくりかえす賃金抑制・首切り諸攻撃にたいして、ことごとくたたかわずして屈服し、労働者たちを貧困と不安定雇用の泥沼に引きずりこんできたのが「連合」労働貴族なのである。「労使運命共同体」イデオロギーに冒された彼らは、「日本経済の危機突破」「企業危機突破」を叫ぶ独占資本家どもの危機意識に共鳴し、そうすることによって独占資本家どもがうちおろしつづける賃金抑制と首切り・合理化諸攻撃に総屈服し、労働者たちに犠牲を強要しつづけてきたのだ。まさに日本帝国主義経済が危機に陥るたびに、その独占ブルジョア的のりきりを支えて、労働者たちに犠牲を強要し、ネオ産業報国会の頭目たるの役割を果たしてきたのが「連合」労働貴族どもなのである。

　こうしたたび重なる裏切りのうえに、今また超低率の「自制」要求を掲げ、しかも岸田政権と十倉・経団連が「賃上げの必要性」を傲然とうそぶいているこのときに、「急性インフレ」に直対応するな、などとほざいて、歴史的大裏切りをまた一つ重ねようとしているのが「連合」労働貴族にほかならないのである。

B　「構造的賃上げ」なるものへの全面協力

現下の物価高騰のもとで「三%程度」という超低率の「要求指標」を掲げた「連合」労働貴族、彼らのアタマを占めているのは、経済成長なしには賃上げは困難というブルジョア的観念であり、いまや「安い日本」に凋落した日本帝国主義経済の成長力をいかにして復活させるか、というブルジョア的危機意識にほかならない。こうして唱えだしたのが、〈「人への投資」を起点とした「成長と分配の好循環」による「安い日本」からの脱却〉なるものである。「人への投資」によって「労働者の能力・意欲の向上」をはかり「良いもの・まねのできないものを生産して適正価格で売る」、そうすれば「企業の利益向上」をもたらし「実質賃金の持続的向上」につながる、というこの「成長と分配の好循環」論は、岸田政権が叫ぶ「構造的賃上げ」なるものの「連合」労働貴族による言い換えにほかならず、こうした「好循環」論の提唱は、政府・独占資本家どもがいま「構造的賃上げ」という名においてしかけている労働者階級への一大攻撃にたいする、彼ら「連合」労働貴族どもの屈服＝協力宣言以外のなにものでもないのである。

岸田政権と独占資本家どもがいま、没落する日本帝国主義経済の起死回生をかけて国家主導で突進している産業構造のデジタル革新（DX）や脱炭素化（GX）、そのために必要なデジタル技術労働者などの〝高度人材〟を大量に確保・育成することをめざしてうちだしているのが、「リスキリング（学び直し）・成長分野への円滑な労働移動・日本型職務給の導入」からなる「構造的賃上げ」という企みにほかならない。デジタル技術労働者などを確保・育成するために、〝衰退〟する産業・事業とみなした分野や生産性が低いとみなした企業・事業部門、とりわけ全労働者の七割を占める中小企業の労働者たちを「学び直し」のふるいにかけ、低賃金から這い上がりたければ不断にデジタル技術などを学び直し成長分野に転職せよ、そうすれば賃金引き上げが可能になる、などと説くのが岸田の言う「構造的賃上げ」なるものである。しかし「学び直し」から〝こぼれ落ちる〟多くの労働者は、超低賃金で酷使されるか路頭に迷うことを甘受せよ、ということなのであって、労働者階級にとって許しがたいものなのだ。

しかも、このような「構造的賃上げ」を〝普及〟させるために、賃金支払い形態を年功給・職能給から（日本型の）職務給に、雇用形態を長期雇用からジョブ型雇用に、それぞれ転換を進めるとともに、「円滑な労働移動」＝転職と解雇をしやすくするために、解雇の金銭解決制度を導入することもが企まれているわけなのだ。

「連合」指導部の「成長と分配の好循環」論は、こうしたブルジョア階級的野望につらぬかれた「構造的賃上げ」の悪辣な階級的企みを隠蔽し、労働者たちを欺瞞して屈従させるための反労働者的イデオロギーに彩られたものにほかならないのである。

「好循環」論では、「構造的賃上げ」の核心をなす「リスキリング」による転職・選別ということについては曖昧にされているとはいえ、「連合」指導部は、同時に「失業なき労働移動」を唱え「社会的なセーフティネットの整備」とか「労働者にとっての魅力的な産業」の育成とかを提案しているのであって、明らかに岸田式の「構造的賃上げ」＝「労働市場改革」策への協力を誓っているのだ。

まず、「人への投資」などと相変らず労働者を投資の対象とみなして平然としている労働貴族どもの反労働者的感覚は許しがたいだけではなく、「人への投資」の内実も、これまでのような〝賃上げを利潤増大のための投資として考慮してほしい〟と資本家に哀訴するものからさらに腐敗を深め、「安い日本」克服のために「リスキリング」への〝投資〟を進めるべきだ、という政府・独占資本家どもと同様の考えに染めあげられているということである。また「好循環」による「実質賃金の持続的な向上」といっても、「学び直し」でデジタル技術などを身につけた一部の労働者についてのことでしかなく、それ以外の労働者は蚊帳の外なのである。「構造的賃上げ」＝「三位一体の労働市場改革」策がもたらそうとしている現実は、一部の〝高度人材〟とされる労働者と、それ以外の労働者とりわけＡＩ（人工知能）やロボットに使われ補助する労働やロボットへの置き換えが困難な介護や清掃・運輸・外食産業などなど超低賃金で長時間こき使われている労働者との、労働者階級の二極分化であり所得格差のいっそうの拡大なのであって、「好循環」論はこうした現実をおし隠すものなのだ。

賃金も物価も「安い日本」などという捉え方からして、そもそもブルジョア的価値意識に染め上げられたものにほかならない。労働者にとっては物価上昇こそが実質賃金の切り下げをもたらすものとして問題なのであって、物価が安いことはなんら問題ではない。にもかかわらず物価が安いことと賃金を切り下げられ続けていることとを一緒くたにして「安い日本」などと捉えるのは、独占資本家どもが国内では首切り・賃下げ攻撃をくりかえし労働者を強搾取するとともに、グローバル企業として世界中で利潤をあげ、いまや五〇〇兆円を超す内部留保を溜めこんでいることを隠蔽し免罪するものだからである。それだけではない。リストラの繰り返しによる労働者への徹底的な犠牲転嫁という独占資本家どもの搾取欲をむきだしにしたこうしたやり口が、バブル経済絶頂期には〝ジャパン・アズ・ナンバーワン〟などと国際競争力の強さを誇示してきた日本製造業のいわゆる「現場力」に根ざした「技術開発」基盤を破壊し、技術労働者の中国・韓国など海外企業への〝転出〟をも促進することによって、おりからのアメリカ主導の〝ICT革命〟の急激な進展のなかで、デジタル技術革新の立ち後れに象徴される日本資本主義経済の〝地盤沈下〟として跳ねかえってきているのである。このことに焦る政府・独占資本家どもが起死回生を賭して、労働者たちを「リスキリング」のふるいにかけデジタル化・脱炭素化を基軸とした産業構造・事業構造の転換のために動員し酷使するためにこそ、「安い日本」などと騒ぎたてているのであって、こうした政府・支配階級の階級的企みにつらぬかれた宣伝に、労働組合のナショナル・センターである「連合」指導部が共鳴し声を合わせるのは、あまりにも犯罪的なのだ。

さらに、「適切な価格転嫁」などというのも、きわめて反労働者的な主張ではないか。そもそも「適切な価格転嫁」ということは、資本家どもに商品価格のつり上げを促しインフレ昂進を求めることなのであって、いま「価格転嫁」を尻押しすることは、諸企業が現下のインフレに便乗して「価格転嫁」＝商品値上げを常態化し、労働者・人民にこの物価上昇の常態化を受けいれさせる（「デフレマインド」の払拭）、という悪辣な企みに手を貸すものにほかならないではないか。労働者にとってインフレは、実質賃金の切り下げをもたらす以外のなにものでもない。「連合」労働貴族どもが唱えていることは、インフレによってすべての労働者に不断に実質賃金の切り下げを強制し、労働者たちが実質賃金の低下をとり戻すために「リスキリング」に励まざるをえないように追いこむという政府・独占ブルジョアどもの階級的企みそのものなのだ。そして、このような主張を彼らが平然とおこなうのは、理論的には賃金を「パイの分け前」として捉え賃上げのためには経済成長によってパイを大きくし、かつ大きくしたパイの〝価値〟を公正に実現すること（「適正な価格転嫁」）によって、賃上げの「原資」を確保する必要がある、というブルジョア的謬論に陥っているからなのである。＜「成長と分配の好循環」による「安い日本」の克服＞などというのは、まさに反階級的デマゴギーにほかならないのである。

C 「労働を軸とする安心社会」の階級的本質

「安い日本」脱却のための政労使協議に春闘を解消

歴史的な物価高騰のもとでの今二三春闘を、「安い日本」から脱却するための「政労使協議」に解消し、資本家どもの賃金抑制攻撃にたいして労働者に総屈服を強要しつづけている「連合」芳野指導部。

岸田政権と独占ブルジョアどもが、日本帝国主義経済の起死回生をかけて、デジタル化および脱炭素化を基軸とした産業構造・事業構造の転換とそのための〝高度人材〟の確保・育成策にのりだしていることにも、全面協力を誓っているのが「連合」指導部である。彼ら「連合」労働貴族どものこうした反労働者的立ち回りを支えているのは、「働くことを軸とする安心社会」の実現の名のもとに、「市場原理」を万能視せず「格差是正」と「分配構造」の修正をはかることによって資本主義を〝持続可能なもの〟にする、という考えであり、スターリン主義ソ連圏崩壊以後に深まる現代資本主義社会の脱イデオロギー化現象のもとでの修正資本主義とでもいうべきイデオロギーにほかならない。

こうしたイデオロギーに冒されているがゆえに「連合」労働貴族どもは、∧古典的貧困∨が拡がり貧富の差がますます拡大するとともに電脳的・スマホ的疎外が蔓延するという末期資本主義的諸矛盾を噴出させている現代日本資本主義社会にたいして、「市場経済原理」を永遠不滅のものとして肯定したうえで、「社会的セーフティネット」を整備することによって「分配」構造を調整し、行き過ぎた「格差」を是正するということに「連合」の役割をみいだしているのであり、それゆえつねに必ず現実肯定主義に流され政府・独占資本家どもの攻撃に屈服し協力することになるのである。

言いかえれば、いま資本家どもが「安い日本」の克服を掲げて強行している〝デジタル・リストラ〟とでもいうべき直接的生産過程や流通機構・業務過程などあらゆる部面におけるデジタル化とこれにもとづく首切り・賃下げ、雇用形態や賃金支払い形態の改変、これらの労働者への犠牲強要を緩和し弥縫する諸方策を提起し〈労使協議〉や〈政労使協議〉を推進することが、そしてそうすることによって資本家どもの攻撃を労働者にスムースに受けいれさせることが、「連合」労働運動の基軸とされているのである。これこそは、まさにネオ産業報国運動ではないか。

そもそも「労働を軸とする安心社会」とは、労働そのものの「価値」が公正に評価され、「価値」ある労働をおこなう者が報われる社会にすべきである、という考え方に立っているといえる。けれども、資本主義社会における労働の「価値」とは、資本家にとってのネウチということにほかならない。「労働の価値」を公正に評価するということは、「利潤をもたらすか否か」という資本家的な価値基準にもとづいて労働者の労働を値踏みすることを、したがって労働力そのものを資本家的基準にもとづいて格づけすることにしかならないのである。このような労働の「価値」評価を基軸にした社会を目標として思い描いているのが「連合」労働貴族なのだ。こうした「社会」像には、労働者階級も資本家階級も等しく「価値」をうみだす存在とみなす階級協調主義・階級宥和の思想がつらぬかれているといえる。階級分裂そのものを否定し、賃労働者の資本主義的に疎外された労働をば「価値」あるものとして肯定し美化し、みずからの努力でこの疎外された労働の能力をみがきあげ、自己実現がなしうるかのようにみなす虚偽のイデオロギーにつらぬかれているわけなのである。

「連合」労働貴族は、かつては「労働を中心とする福祉社会」を目標として掲げていたのであったが、いまではこれを「労働を軸とする安心社会」に書き換えてしまっている。これは、彼らの脱イデオロギーの深まりと現実肯定主義のなせる技にほかならない。「福祉社会」という看板は、そもそも革命ロシアとマルクス共産主義思想に対抗してつくりだされた国家独占資本主義を基礎としたイデオロギーであって、この看板を外したのは、根本的にはスターリン主義ソ連邦の崩壊をマルクス共産主義思想の破産とみなしてもはや「福祉社会」をおしだす必要はないと彼らが考えているからであり、現実的には国家独占資本主義的な社会保障政策を財政破綻のゆえに切り捨てるという日本帝国主義権力者の国家意志を受けとめ、「自立・自助」イデオロギーをふりまくためなのだ。

そして「福祉社会」に替えて「安心社会」などという看板を「連合」労働貴族が掲げているのは、日本経済およびこれを支える産業・企業の「安定」成長と日本国家の「安全」を確保することを大前提にして、たとえ解雇されてもリスキリングをおこなえば転職できるという「安心」を労働者に与えられるように「社会的セーフティネット」の整備をはかるということなのである。こうした「安定・安全・安心」などという日本社会の〝治安維持〟を第一義とするようなスローガンを「連合」労働貴族が掲げるのは、米中激突のもとで日本帝国主義の生き残りを賭して大軍拡に突進する岸田ネオ・ファシズム政権、これを支えるというネオ産業報国会の頭目としての役割を担うためにほかならない。

革命的・戦闘的労働者は、二三春闘においてさらに歴史的犯罪を積み重ねる「連合」労働貴族の腐敗を徹底的に弾劾しのりこえ最後までたたかおうではないか！　今こそ「連合」の脱構築を！

〔本誌掲載の関連論文〕

- 二三春闘の戦闘的高揚をかちとろう――2・5労働者怒りの総決起集会　第一基調報告　水田育子（第三三四号）
- 「リスキリング」とは何か？　飛鳥井千里（第三三三号）
- 「人への投資」を叫び独占資本に奉仕する「連合」指導部を許すな　磐田龍二（第三二九号）

政府への「賃上げ」請願に春闘を歪曲する「全労連」指導部を弾劾せよ

清春麻子

日本労働者階級はいま、正念場に立たされている。既成労組指導部による大裏切りのゆえに、労働者階級は今春闘の敗北を強いられようとしているのだからである。

大多数の労働者は激しい物価高騰の取り戻しにもならない超低額・低率の「賃上げ」に抑えこまれ、中小企業の労働者や非正規雇用労働者にいたっては「賃上げゼロ」を強制されている。政府・独占資本家どもが喧伝している大手企業の「満額回答」なるものも、その内実は、国の内外で独占資本家どもが争奪に必死となっている一部のデジタル技術労働者たちを囲いこむためのそれでしかない。しかも独占資本家どもは――没落する日本国家独占資本主義の危機をのりきるために「グリーンとデジタル」を標榜しつつ産業構造の転換を画策している岸田政権にバックアップされ――「成長部門」への投資=「不採算部門」の切り捨てをおしすすめるために、労働者にたいする首切り・転籍・出向・配転などの苛烈な攻撃をしかけてきているのだ。

革命的・戦闘的労働者諸君！ 独占資本家どもの低額回答とこれへの労働貴族の低額妥結を、怒りをこめて弾劾せよ！ 中小企業労働者・非正規雇用労働者の大幅かつ一律の賃上げをめざして、最後まで断固としてたたかおうではないか。

そのためにここでは、「全労連」日共系指導部の二〇二三春闘の反労働者性を暴露することにする。

Ⅰ 「ケア労働者」をダシにした岸田政権への「賃上げ」の請願

A 欺瞞的な〝国民向けのアピール・スト〟の破産

「全労連」・国民春闘共闘委員会はいま、二三春闘を診療報酬・介護報酬などの「公定価格引き上げ」を政府に要請するものへと解消しようとしている。「大手企業による下請たたきをやめさせ、公正な取引の実現に向けた政策の強化を政府に求める」とか、「ケア労働者の賃上げ、公務員賃金の引き上げに向けた緊急勧告、最低賃金の臨時改定を求める」とかというように(二〇二三年三月十六日「全労連」幹事会アピール)、岸田政権にたいしてさまざまの〝お願い〟を並べたてることに躍起になっているのが、「全労連」日共系指導部なのだ。

彼ら「全労連」指導部は、春闘山場の三月上旬には、三月九日を「ストライキを含めた全国統一行動の日」としてたたかうことを呼びかけはした。そして、全医労(全日本国立医療労働組合)は三十一年ぶりに(独立行政法人・国立病院機構となって初めて)全国の国立病院の一二七支部でストライキをおこない、「全労連」はこれを「ケア労働者の闘争」としてしきりに喧伝した。

だが、この全医労の「スト」の内実は、どのようなものであったか？ それは、一病院あたり二名(プラスα)のスト参加者と駆けつけた数十人の支援者が「国立病院の機能強化を求めます」などの横断幕を広げて住民・マスコミに向けてアピールをおこなうというものにすぎなかった。まさしくそれは、「国民」向けのたんなるアピール・ストでしかなかったのだ。

このような「統一行動」でしかなかったがゆえに、病院や施設の経営者どもは何の打撃を感じることもなく、他産業に比しても超低額の回答（ほとんどがベースアップゼロ）を、居丈高に労働組合に突きつけてきた。「全労連」傘下の諸労組の第二回集計（三月十六日発表）で回答の出た組合の単純平均は六三四七円であり、医療関係は五三〇〇円、介護・福祉関係は四六二二円でしかなかったのだ（医療・福祉関係はこの時点では昨年を下回っている。『解放』第二七六二号「トピックス」参照）。

これに色を失ったのが「全労連」・春闘共闘指導部であった。彼らは、さすがにこれでは「終われない」と途方に暮れ、四月十日までを「回答促進旬間」として、闘争継続を宣言しはした。だがそれは、形のうえだけのことにすぎなかった。彼らは実際にはなんら闘いにとりくむこともなく、完全に幕を引いてしまったのである。こうして彼ら「全労連」指導部はいまや、記者会見を開いて「ケア労働者だけベースアップなしは許されない」などという泣き言を垂れることでお茶を濁そうとしている始末なのだ。

B　反労働者的な「二三国民春闘方針」の諸特徴

このような「全労連」・春闘共闘の「二三国民春闘」の方針――それは、いったいどのようなものであったのか？　その特徴は以下の点にある（『2023年国民春闘白書』・「全労連」ニュース・「国民春闘共闘」ニュース・『医療労働者』などより引用、傍点は引用者）。

彼らは、今春闘は「賃上げに追い風」が吹いているなどと言う。賃上げは労働者階級の団結と闘争によってたたかいとるものであるにもかかわらず、これとはまったく無縁な地平で極楽トンボのような情勢認識らしきものを開陳していること、これが第一の特徴である。

彼らは言う、「追い風が吹いている」というゆえんは、「回復しつつある企業業績」と「消費拡大のための賃上げ機運」の高まりであると。そしてこうした独占資本家どもの言辞かとみまごうばかりのバラ色の情勢認識に立脚して、彼らは「この2つの風を武器に生活改善を勝ち取ろう」などという「方針」らしきことを語るのだ。

第二の特徴は、今春闘は「ケア労働者」を「労働者全体の賃上げのけん引役」とし、これを「重視して取り組む」などと語っていることである。コロナ禍で「エッセンシャルワーカー」などともてはやされながらかつてない過酷な労働を強いられてきた医療・福祉・介護労働者――彼らをいわば〝ダシ〟に使って、賃上げの正当性をおしだしつつ政府からの補助金を期待しているのだ。〔「全労連」が今年の要求を「三万円」にとどめたのに比して、日本医労連は「月額四万円以上」、福祉保育労が「四万八〇〇〇円以上」など、いわゆる「ケア労働者」の産別は「高め」の要求を提出したのであった。〕

第三の特徴は、この要求の基礎づけとして、「賃金は『労働力の再生産費』」などと、一見するとマルクスの言葉を引いているかのような言辞を突如としてもちだしていることである。

今年の『国民春闘白書』においては、例年のように「生計費原則」をあげるだけではなく、その冒頭の「総論」で事務局長の黒澤幸一じしんがわざわざこのようなことを書いているのである。

そして彼らは、これらの課題を実現するために「産別や地域の統一闘争が重要だ」とし、「ストを構えて交渉力を高める」ことを強調している。これが第四の特徴である。

彼らは、今年は「ストライキをやる」ということを、例年になく強調している。だがもちろん、その「スト」は、「地域組織や地域住民とともに」やる「社会的にたたかうストライキ」と表現されているように、地域住民やマスコミに向けたアピール・ストでしかないのである。

第五の特徴は、いわば組織方針のようなものとして、「全労連」指導部が「たたかう労働組合のバージョンアップ」なるものをあげていることである。

その中身は組合の「組織強化・拡大」のために〝要求運動を組合員拡大に結びつけろ〟というものである。

今日「全労連」傘下で組合そのものの消滅が相次ぎ、彼らはいまジリ貧化する組合組織の立て直しに大童になっている。このゆえに〝組合らしい活動〟をやるようにと、今さらながらに傘下の組合役員・組合員たちに発破をかけているのが、今日の「全労連」日共系指導部なのである。

C 「全労連」内部の対立の激化

ところで、「全労連」指導部が、いつになく「ストを含む統一闘争」とか「組合らしい活動」とかと力んでいるのは、いったいなぜか？　それは次のような日共党および「全労連」の指導部内の大混乱にもとづく。

今日の日本共産党は、一方では「安保条約堅持を基本政策に」とか「党首公選制を」とかを主張する松竹伸幸(元党本部政策委員会勤務)らの右翼的分裂策動に揺さぶられている。他方では、これにたいする〝反動〟として、あまりにも右翼化した志位指導部に反抗する部分が、「左」からの主張やオールド・スターリニスト的な主張を噴きあげている。そしてこうした党の大混乱のなかで、「全労連」の日共系指導部内部においても、〝党は労働運動をないがしろにしている〟とか〝党中央はマルクス主義(実はスターリン主義)を勉強すべきだ〟〝党の独自性をもっと出すべきだ〟とかといった反発の声が湧きあがっているのだ。今春闘において「全労連」指導部が「ストライキ」を強調したり指導部の一部が「賃金は労働力の再生産費である」ことをおしだしたりしているのは、まさにこうした内部対立の露出なのである。

いまや、「全労連」内部の中央盲従分子とそれに右から「左」から反発する部分とが分岐し、この三者の対立が深まっている。この対立は、ここ数年来、代々木中央が労働運動を市民主義的に歪めおとしめてきたことにたいして下からの反発が高まっていることの公然化なのである。

二〇一五年の「安保法制反対」運動を契機にして、党中央が、「市民のたたかいこそが重要」などとおしだし「市民と野党の共闘」なるものをもちあげつつ、「市民の共闘は『掛け布団』」「労働運動は『敷き布団』」などというように労働運動を徹底的に軽視してきたこと。また保守層にすり寄るために、「憲法の趣旨を生かした改憲」や「自衛隊活用」を唱える人も含めた共闘を主張し、「急迫不正の侵害」には「自衛隊の活用」や「安保条約第五条を適用すること」さえも認めてきたこと。さらに彼ら党中央官僚どもは、プーチンによるウクライナ侵略に際して〝日本共産党とソ連との区別だて〟に躍起となり、党員たちの「どっちもどっち論」や「NATOの拡大こそが問題」などの主張のあいだで揺れ動きながら、「『国連憲章守れ』の一点での団結」をくりかえすにすぎなかったこと。――これらの党中央・志位指導部の反労働者的な犯罪的言動にたいして、多くの労働者党員たちの不信と怒りがマグマのようにたまり噴出しはじめているのだ。

松竹のような右翼分子が党の中央から出たことは、志位指導部が「安保廃棄」を凍結し「多様性の尊重」を掲げて「保守層」にすり寄ってきたことの必然的帰結なのである。いまや代々木中央の「保守層との共同」路線の戦略的破綻と転向ネオ・スターリニストとしての反労働者性が、誰の目にも露わとなっているのだ。

そしてもちろんこの事態は、「全労連」の内外で奮闘するわが革命的・戦闘的労働者が、良心的左翼的な組合員・共産党員をネオ・スターリニストの軛から解き放つイデオロギー的＝組織的闘いを執拗におしすすめてきたことのゆえに生みだされたものにほかならない。

Ⅱ　政府への「賃上げ原資」支援要請運動への歪曲を許すな

A　日本国家独占資本主義への幻想

すでにみたように、彼らはその「情勢」の認識において、「日本経済の再生」は実現可能であるなどという〝展望〟論を開陳する。彼らは〝日本経済の未来的展望〟のようなものを想定したうえで、この〝願望的想定〟を投射して日本の現状（「異常な日本の実態」など）を描きだし、そしてこの想定した〝未来的現実〟に向かうこと（「賃上げと労働時間短縮で個人消費拡大を図り経済を再生する」）をみずからの〝方針〟としているのだ。このヘビが自分のシッポをくわえるような堂々めぐりは、認識論的には、彼らがスターリニストに特有の情勢分析と方針との二重写しという病魔におかされていることをしめしている。

だが、「日本経済再生」のために賃上げは必要なのだ、という彼らの主張は、あまりにも反労働者的ではないか。彼らは、〝賃上げ──→個人消費拡大──→景気回復（日本経済復活）〟という好循環が可能であるなどと、日本国家独占資本主義を未来あるものとして美化しているのだ。去年の『国民春闘白書』のなかで一言触れていた「資本主義の脆弱性や問題点」という記述さえもが、今年は削除されている。彼らは、〝資本主義の問題〟を〝新自由主義の問題〟にきりちぢめるだけでなく、さらに「新自由主義の経済思想」が問題だなどと言うだけなのである。これでは「小泉政権以来の新自由主義からの脱却」を掲げて就任した首相・岸田文雄の「新しい資本主義実現」にまったく太刀打ちできないことは、あまりにも明らかではないか。

彼らは、日本経済の構造的危機も、国家独占資本主義のどん詰まりの死の痙攣も、なにひとつ感覚することさえできないのである。

プーチンによるウクライナ侵略を発火点としつつ米─中・露激突が尖鋭化し、危機を深める現代世界が〈戦争の時代〉へと展開している今日、「デカップリング」という名の〈経済ブロック化〉もまた急速に進展している。こうしたなかで、これまでいわゆる「経済のグローバル化」のもとで製造業を中心に海外展開してきた日本独占体諸企業は、いまや存亡の危機に陥っている。日本独占体諸企業は国際競争力が著しく低下したばかりか、コロナ・パンデミックとロシアのウクライナ侵略に直面して、製造業を中心に世界にはりめぐらしていたサプライチェーンの分断とその再編の途絶などに見舞われているのだ。

世界が大軍拡競争の時代に突入し、各国権力者どもが軍需産業の育成とともに「経済安全保障」に血眼になっている今日、日本帝国主義権力者は、このままでは帝国主義として生き残れないという危機感にさいなまれている。日本はエネルギー自給率は一〇%、食糧も自給率三〇%であり、量子・AI・半導体などの先端技術開発が欧米にも中国にも徹底的にたち後れているのだからである。日本の先端技術開発の遅れや少子化ゆえの労働力不足などを解決できなければ〝日本沈没〟しかないとおびえているのが、岸田日本型ネオ・ファシズム政権なのだ。それゆえにこの政権は、没落する日本帝国主義の危機ののりきりをかけて、大軍拡と「DXやGX」を掲げた産業構造の再編につき進もうとしている。まさにそのためにこそ、成長産業・業種の人員確保と不況業種や不採算部門の切り捨てを進める「労働移動」(労働者の首切り促進策だ!)を、政府みずからがのりだすかたちで、強力におしすすめようとしているのだ。

この政府・独占ブルジョアどもにたいして「日本経済の再生のためにこそ賃上げを」などと叫ぶ修正資本主義の党＝日共中央とこれに従う「全労連」指導部は、今日の岸田政権による経済・労働政策の推進、雇用労働政策の転換にたいして、まったく反撃できないことは明らかではないか。

B 「賃上げ原資のための公的支援」要請へのねじまげ

すでにみてきたように、「全労連」指導部が今春闘の軸としてきた「ケア労働者の賃上げ」闘争は、診療報酬・介護報酬などの公定価格の単価切り上げや医療・介護事業の経営者たちへの「補助金」給付などを政府に要請することへと、賃金闘争をねじまげる以外のなにものでもない。

彼らは、医療・福祉サービス資本が「賃金原資」を得るためには政府の「公的支援」が必要なのだと主張して、このような政府への要請を「医療・福祉産別での賃上げ手法」などと強弁している。驚くべきことに彼らは、昨二〇二二年に岸田が提唱した「介護職員の賃金を九〇〇〇円上げる」などという欺瞞的な施策を「運動の成果」などと美化し、さらに岸田にすがろうとしているのだ。これは、実に犯罪的ではないか。

「全労連」と傘下諸労組のダラ幹どもは言う――「〔昨年〕看護師や介護職の賃上げ加算として診療報酬と介護報酬の臨時改定につながったことは、産別運動の成果」（医労連）であるとか、「社会福祉制度の改善運動で賃上げ原資を公的に用意させた」（福祉保育労）とか、と。

冗談ではない！　昨年介護労働者や看護労働者の賃金がいったいいくら上がったというのか。雀の涙ほどの〝介護労働者一人九〇〇〇円上げる〟かのような岸田の宣伝さえも、真っ赤な嘘だったではないか。またしても政府と資本家どもの〝詐欺〟まがいの手口にだまされろ、と組合員に言うのか！

昨年四月から九月までの看護師や介護職員の〝処遇改善のための支援金〟は、政府から医療機関や介護サービス事業所の経営者に支払われはした。だが、政府は医療・介護の全機関・全事業所経営者に支払ったわけでもなく、対象職種も看護師・介護士に限定した。介護については、岸田政権の唱える「介護の生産性向上」を進めている介護サービス資本を選んで支払っているのだ。労働者の賃金支払いを年功給から成果主義的なものに変えていることや労務管理をブルジョア的にしっかりやっていることなどが、政府の〝支援金〟支給の条件であった。そのうえ、昨年十月以降は、この国家財政からの支出は中止し、介護保険財源から介護報酬の「介護職員処遇改善加算」に上乗せしたにすぎない。

政府は介護サービス資本家どもにたいして、〝支援金〟や介護報酬上乗せ分は「介護職員の処遇改善」に当てねばならないが、「処遇改善」は「基本給・手当・賞与」だけでなく「キャリアアップ支援」や「生産性向上のための業務改善の取り組み」なども含むということを通達している。そこで当然にも資本家どもは、「上乗せ」報酬分を手に入れても基本給を決して増やそうとせず、「法定福利費」や「研修費」などにそれを当て、賃金に当てる場合には、若手や資本に忠実な「生産性の高い」とみなした労働者にのみ手厚くなるように、格差をつけながらわずかばかりの「賃上げ」をしているのだ。このことは全国のほとんどすべての介護労働者が体験していることであり、彼らは岸田の言う「介護職員の賃上げ」が詐欺・ペテンのたぐいだということを、身をもって痛感しているのだ。

にもかかわらず、「全労連」指導部は、どの面下げて〝賃金原資確保のための診療報酬・介護報酬引き上げ〟を政府に要請するなどと言うのだ！

彼らが中小企業や医療・介護事業所への政府の支援要請に血道をあげるのは、資本規模の小さい中小企業や公定価格でサービス販売をする医療・福祉の事業所は、政府の支援や公定価格引き上げが「賃金原資」になる、という錯誤に陥っているからなのだ。彼らは「資本家の支払い能力に応じて賃金が支払われる」と発想しているのだ。

このように資本家どもの懐具合を心配しつつ政府

や資本家どもに賃上げをお願いするのは、あまりにも反労働者的ではないか。「回復しつつある企業の業績」が「賃上げへの追い風」になるなどと、労組の指導部がよくもこんなことが言えたものだ！　資本家どもがほくそ笑む「企業業績」のために、どれだけ多くの労働者が血と汗と涙を流してきたのか！＜パンデミック恐慌＞に陥ったこの三年間をとっただけでも、資本家どもがどれほど労働者をこき使い労働者の生き血を吸ったのか。どれほど多くの労働者の首を切り死の淵に追いこんだのか。これらをいっさい不問に付して〝企業業績が賃上げ原資〟などと云々する「全労連」ダラ幹どもを、怒りをこめて弾劾せよ！

　しかも、彼らの診療報酬や介護報酬のような「公定価格」の引き上げ要請は、反人民的な結果をもたらすものなのだ。これらの報酬の単価引き上げは、医療・介護サービスを利用・購入する労働者・人民にとって負担の増大になる。医療保険も介護保険も受診し利用する人に利用料の一割から三割の自己負担（所得により異なる）が強いられている。しかも七十五歳以上の高齢者の約四割にあたる人の窓口負担が二割になること（二倍化！）が決められた今日、診療報酬（保険医療サービスの公定価格）引き上げは、病気をもつ高齢者にとって大打撃になるのだ。

　彼ら「全労連」指導部の「公定価格引き上げ」要請は、政府・独占資本家どもによる公共料金・諸物価値上げを尻押しするものではないか。大衆収奪強化を招くこの犯罪を許すな。

C　「社会的賃金闘争」の反労働者性

　さらに、中小企業労組のためには政府に「中小企業支援策」を要請するとか「全国一律最低賃金制」の法制定をめざすとかの「全労連」の「社会的賃金闘争」なるものは、まったく反階級的な代物でしかない。岸田は「〔最低賃金を〕今年中に一〇〇〇円にする」などと言ってはみたものの、ブルジョアどもに拒否されてすぐに引っこめた。この岸田にすがって今なお〝最賃上げて〟とお願いすると言うのか！　彼ら「全労連」指導部は、最賃について「地域別である限り格差が是正できない」「まずは、法制度を変えて全国一律制に」などと「請願」している。彼らは、「生産人口」の首都圏への集中＝〝若者の地方離れ〟を防ぐために「最賃制は全国一律がよい」と主張する自民党内一部議員までも巻きこんで、二四年国会での「法改正」を夢想しているのだ。

だが、自民党・岸田政権が「全国一律最低賃金制度」を法制化する場合は、資本家が払えるように労働者を〝生かさず殺さず〟の低いところに「最低賃金」を固定化することを狙ってのことにほかならない。労働者階級の意思を反映しているかのように見せかけながら、ブルジョア階級の階級的利害を貫くかたちでの「法改正」を企むのがブルジョア政府であって、「全労連」の方針はこの土俵に労働組合をひきずりこむ以外のなにものでもないのだ。

労働者階級がなすべきことは、政府への請願などではなく、既成労組指導部の闘争歪曲を突き破って＜大幅一律賃上げ獲得＞を掲げて賃金闘争を左翼的に推進することなのだ。

そのためには、「大幅なしかも一律の賃上げをかちとろう」というスローガンに集約されるわれわれの闘争＝組織戦術が、それぞれの職場・組合の特殊性の分析にふまえて、それぞれの特殊性に見合ったかたちで具体化されなければならない。この＜大幅一律賃上げ獲得＞のスローガンは、既成労組指導部の春闘の歪曲・破壊を突き破り賃金闘争を左翼的に推進するためのものである。また同時に、この賃金闘争を担う戦闘的労働者たちに賃金制度の本質への反省を促すとともに、賃金奴隷としてのおのれの存在についての自覚を促す契機となるものなのである。

政府・独占資本家どもによる公共料金・諸物価の値上げとリストラ・賃金抑制のゆえに苦境に立つ労働者、わけても低賃金に苦しむ中小企業・非正規雇用労働者は、＜大幅かつ一律の賃上げ＞を断固かちとるためにたたかおう！

ところで、いま「連合」労働貴族どもは、岸田政権・独占ブルジョアどもと口をそろえて「労働移動・リスキリング」を唱え、労組の側からの協力を申し出ている。超低額要求を出して早々に低額妥結した傘下の大企業労組をまえにして「二十九年ぶりの高い賃上げ」などと悦にいっているのが「連合」芳野指導部なのだ。だが、この今春闘を敗北に導いている今日版産業報国会として純化した「連合」にたいして、「全労連」指導部はいっさい批判・弾劾しない。それはいったいなぜなのか。

それは、彼らが、すでに瓦解がつきつけられている「市民と野党の共闘」をなんとか立て直せないかなどと腐心しているからなのだ。日共を袖にして維新の会と癒着しようとしている立憲民主党に、いまなおすがりつこうとしている代々木中央。この党中央の「保守層との共同」路線が大パンクを遂げた現在も、立民やその基盤である「連合」や「市民連合」などにすり寄ろうと必死なのが、「全労連」指導部内の代々木中央盲従分子なのである。日共議員の〝国会活動〟と「市民運動」の盛り上がりを日共の票田開拓・議席拡大につなげれば政権にありつけるという夢想に浸ってきた代々木中央とその盲従分子ども。このゆえに労働組合運動を「市民と野党の共闘」を支える「敷き布団」などと位置づけ、労働運動そのものを市民主義的にねじまげてきた彼ら。この彼らの労働運動の市民主義的・議会主義的歪曲を、すべての労働者はいまこそ怒りをこめて弾劾するのでなければならない。

D　放擲される労働者の階級的組織化

すでにのべたように、今春彼らは、「ストライキをうてる組織づくり」を強調し、医労連やＪＭＩＴＵ傘下の労組の一部はストをうちはした。だが、彼らのストライキの方針は「国民・住民へのアピール」を主たる目的にしたものでしかなかったのである。

たしかに全医労の「スト突入」とのニュースを聞いて「ストを自分らもやれないか」「当局に一矢報いたい」など、ある種の共感をもってうけとめた「全労連」傘下の医療・福祉労働者たちもいた。彼ら医療・福祉・介護労働者たちは、コロナ・パンデミックのもとで低賃金で過酷な労働を強いてきた病院や施設経営者にたいして、また高齢者や弱者を切り捨て感染爆発に無為無策をきめこんできた政府にたいして、怒りを充満させている。未曽有の人数のコロナ感染者を（職員も感染するなかで）極小人員で看護・介護する長時間超強度の労働を経験してきたのが彼ら「ケア労働者」たちなのだ。

だが、憤激に満ちた彼らの思いとは逆に、この「指名スト」は医療機関や高齢者施設の当局者にたいしても岸田政権にたいしても、何の打撃にもならなかった。彼らの過労・呻吟・憤怒を共有し階級的団結をいまこそ強化すべきであるにもかかわらず、「全労連」ダラ幹どもはそれをしなかった。それじたい〝アピール・スト〟にすぎなかったがゆえに、彼らはこれに職場の組合員の多くを組織化することもなく、この闘いをつうじて組合の団結を強化することもできなかったのだ。

それはなぜか？　そもそも彼らの「ストを構えて交渉力を高める」などという主張自体が、反階級的なのである。ストライキは、経営者（や政府）との交渉を有利に進めるためのたんなる圧力手段におとしめられてはならない。ストライキという闘争形態は、向自的労働者の即自的団結形態である労働組合が、みずからの要求を実現するために、資本の生産を一時的にストップさせるかたちで資本家にたいして損害を強制し、その譲歩を迫るための闘争手段であると同時に、それをつうじて労働組合に結集した労働者たちの階級的団結をさらに向自的なものに高めていくための手段でもあるのだ。

まさに賃金闘争をつうじて、賃上げを要求する実力闘争をつうじて、「階級的団結を向自的なものに高める」ことが必要なのである。わが反スターリン主義運動の創始者である同志黒田は、次のように書いている。

「賃上げをめぐる闘争は、賃労働者と資本家との、労働組合という団結形態をとった労働者階級と経営者団体として連合した資本家階級との、相互に自己の権利と主張を貫徹しあう闘いであって、その本性は非和解的である。」（黒田寛一『賃金論入門』こぶし書房刊、一五四頁）

「このような賃金闘争をつうじて、とりわけこの闘いの挫折や敗北のつみかさねをつうじて、資本制生産様式がそれによってなりたっているところの賃金制度そのものを撤廃することなしには賃金奴隷の状態からみずからをときはなつことはできない、という自覚も、彼ら労働者のうちに直接的あるいは媒介的に形成されてゆくのである。」(同右七頁)

E　反マルクス主義的な「全労連」版「労働力の再生産費」論

すでに述べたように、「全労連」指導部が賃上げ要求の基礎づけとして、賃金は「労働力の再生産費」であるということをもちだしていることが、今年のひとつの特徴であった。

彼らは言う——①「賃金は『労働力の再生産費』である。だから②「使用者には雇用責任として、そのために十分な賃金を支払う責任がある」。③「労働者・労働組合の要求に応える努力をしてこそ対等な労使関係が前進し、労働者のやる気を引き出すなど、経営困難を労使で乗り越える力となる」。④「どうしても、賃上げできないほど経営が厳しいというのであれば、経営者は、なぜ経営が厳しいのか、どうすれば賃上げできる経営となるのか、その展望を労働者・労働組合に示す責任がある」。(国民春闘共闘委員会事務局長・黒澤の書いた「総論」、番号は引用者による)

このように、彼らは賃金について「労働力の再生産費」①などと、あたかもマルクス主義者であるかのような言葉を使ってみせる。だが驚くべきことに、実に丁寧に「経営者」＝資本家どもに寄り添い彼らに身を移し入れて「支払う責任」②を論じるばかりか、〝労使協力して生産性を上げよう〟③などと恥ずかしげもなく述べているのだ。さらに、〝賃上げできない場合は理由を説明して欲しい〟④などと言うにいたっては、もはや資本の第五列ではないか！　これこそは労働者を武装解除し、資本のために生産性向上に駆りたてるものではないか。

しかもマルクス主義の用語を使うことによって、彼らはマルクス主義をズタズタに破壊しているのだ。「労働力の価値」も「労働力の使用価値」も論じないまま〝「労働力の再生産費」を資本家は払え〟と論じるのは、あまりにも非マルクス主義・反マルクス主義的なのだ。

彼らは、賃金を「生計費＝労働力の再生産費＝労働力の価値」ととらえている。そのかぎりでは、〝資本家は労働者に労働力の価値どおりの賃金を支払え〟というスターリニストに特有の「労働力の価値貫徹」論をひっぱりだしたものだといえる。〝資本家は労働力を買ったのだからその再生産費を支払う責任があるが、その支払いのためには価値を生みだすように労働者に協力させよ〟とでもいうような今日の主張は、「労働力の価値貫徹」論をより反労働者的・反革命的にした〝ニューバージョン〟なのだ。

「労働力」などという概念を使いながらも、マルクスの使う「労働力」について、彼らはいったい何をわかっているのか？

マルクスは、資本制生産の〝搾取の秘密〟を暴く鍵がこの「労働力」という独自な商品にあることを暴きだした。ところがこのことについて何も理解せず、何の関心もないのが、彼らなのだ。

「全労連」ダラ幹どもよ！　マルクスが書いていることを、少しでも目玉を開いて見てみよ！

「……わが貨幣所有者は、運よく、流通部面の内部すなわち市場で、一商品——それの使用価値そのものが価値の源泉であるという独自の性状を有するような、つまり、それの現実的消費そのものが労働の対象化であり従って価値創造であるような、一商品」すなわち「労働能力または労働力を見出すのである。」

この労働力商品の販売者である労働者は、労働力以外には「売るべき他の商品を有たず、自分の労働力の実現に必要ないっさいの物象から引離されている」がゆえに、労働力を「一定の時間ぎめで売るということが必要である」のだ。

そして「労働力の価値は、労働力の所有者の維持に必要な生活手段の価値である」「生活手段の総額は、労働する個人を労働する個人として、彼の正常的生活状態において維持するために充分でなければならぬ」と同時に、「補充員すなわち労働者の子供たちの生活手段を含む」のである。（引用は『資本論』第一部青木書店版より、三一五〜三二一頁、傍点は原文。なお「労働力の所有」という表現については、一九九八年発行の黒田寛一著『革マル主義術語集』こぶし書房刊の一〇七頁を参照のこと。）

彼ら日共盲従分子どもは、労働力——その使用価値そのものが価値の源泉である「独自な商品」——についても、「労働力の使用価値」や「労働力の価値」についても、何の考察も理解もできない。それは、彼らが労働力を売る以外に生きることのできない労働者の立場に立っていないからなのだ。ただただ〝価値どおりに支払ってくれるかどうか〟という資本家の〝支払い力〟ばかり気にしているのが、「全労連」ダラ幹なのだ。

スターリニスト特有の「労働力の価値貫徹」論について、同志黒田は以下のように論じている。

「……まずもって労働力商品の価値を一定不変の固定したものとしてとらえ、しかも賃金は現実にはつねに必ず労働力の価値以下に支払われる、というドグマを捏造し、そのうえで、労働力の価値以下の賃金をば、階級闘争をつうじて引き上げ労働力の価値どおりに支払わせる……というもの」である、と。（『賃金論入門』一三六頁）

だが、「労働力商品価値の大きさ（価値量）は、商品としての労働力そのものに対象化されている労働量によって直接的に決まるのではなく、労働市場におけるもろもろの労働力商品のたえざる交換をつうじて、つまり事後的に決まる」のである。

すなわち「一定の歴史的・社会的・文化的の諸条件を基礎とし媒介にして、一定の賃金（労働力の価格）という現象形態をとるのであるが、一般商品の価格の晴雨計的変動や階級闘争をつうじて、あるいは景気循環ないし産業循環をつうじて、賃金は変動する」のである。（同右九一〜九二頁）

このようなことは〝猫に小判〟のたぐいかもしれぬ。彼らには、労働者は労働力の価値どおりの賃金を受け取ってもなおかつ搾取されている、この搾取がまったくわかっていないからだ。

資本としての生産物である生産された諸商品の価値のがわから、支払われた賃金をみて、ただ「搾取だ」と結果解釈しているにすぎないのが、彼らスターリニストなのである。彼らは、資本の生産過程をつうじて生産された諸商品の価値構成のうちの（不変量となった）可変資本部分と、前提としての商品＝労働市場における労働力価値（本質上前払いされた労働力価値）とを同一視しているのだ。

こういう反マルクス主義的な似非な「理論」づけによって、〝商品価格を上げろ、それが賃金原資になる〟などと、まったく反プロレタリア的な主張をしているのが彼らなのだ。

〝労働者は資本家のために剰余価値を生産して「経営困難を労使で乗り越え」よう〟などということを臆面もなくのたまう「全労連」指導部のこの反マルクス主義的・反労働者的な主張を、断固として弾劾せよ! 彼ら日共中央盲従分子をのりこえ、「全労連」内部からスターリニズムの腐敗に目覚め賃金制度撤廃をめざす革命的労働者のケルンをつくりだすべく、革命的・戦闘的労働者はさらに奮闘しようではないか。

F 反戦反安保・反改憲闘争、ウクライナ反戦闘争からの脱走

最後に、「全労連」日共系指導部がいまや、反戦反安保・反改憲闘争からもウクライナ反戦闘争からも脱走していることを、われわれは暴露し弾劾しなければならない。

ロシアによるウクライナ侵略を震源として米—中・露の角逐が激化するもとで、岸田政権は、日米軍事同盟の強化にもとづいてアメリカとともに先制攻撃をやれる体制を整えた軍事強国へと日本を飛躍させるために、大軍拡と改憲に突っ走ろうとしている。このように政府=支配階級が画歴史的な一大攻撃をしかけてきているにもかかわらず、今日このとき、反戦反安保・改憲阻止の大衆闘争をいっさい組織化しようとしていないのが日共・志位指導部なのであり、「全労連」の共産党中央盲従分子なのだ。

日共委員長・志位和夫は、「日中両国政府の間には……平和と友好に向けた共通の土台が存在する」ので「両国関係の前向きの打開ができる」などという「提言」を岸田に渡している。ほとんど判断停止・無為無策のまま、自分たちの「ASEANインド太平洋構想」という〝画餅〟とわかっている政策代案を宣伝することしかできない。このことは、彼らが組織的瓦解の危機にみまわれていることと関連している。

今日の彼らは、党の分裂をくいとめるために、日米軍事同盟が対中国攻守同盟として強化されていることはおろか日米安保の「あ」も言えなくなっている。

彼らは、「市民と野党の共闘」が完全にパンクしている今日、「安保」にも「自衛隊」にも「中国」にも、まったく触れることができなくなっているのである。「国連のもとでの平和のながれ」のなかで「東アジア平和構想の実現を」というタワ言をただただしゃっくりのようにくりかえすだけで、完全に闘争放棄をきめこんでいるのが、瓦解寸前の代々木中央なのだ。

そして、この代々木中央に付き従う「全労連」指導部どもは、敵基地攻撃を想定した先制攻撃体制づくり、「アメリカとともに戦争する国」への一挙的飛躍、ネオ・ファシズム憲法への改憲策動にもなんら危機感もなく、反対運動を組織しようとはしていない。

さらに、彼ら代々木中央とこれに従属する「全労連」指導部は、ウクライナ反戦闘争から完全に遁走してしまっている。いまや代々木の党内部では、「NATOもロシアもどっちもどっち」だとか「今すぐ停戦を」だとかとつぶやく右翼的部分、「悪いのはNATOだ」「プチャはフェイクだ」などと露骨にプーチンを擁護するオールド・スターリニストども、そしてさらに「プーチンによるウクライナ侵略反対」「たたかうウクライナ人民と連帯しよう」というわが革命的左翼に共感する部分、これらが相乱れて反目しあっている。こうした大混乱のなかで、日共党中央は「ウクライナに触れると割れてしまう」などと叫びながら、ウクライナ反戦の大衆運動の組織化から完全に召還してしまっているのだ。

労働組合がナショナルセンターの枠を越えて改憲阻止・反戦反安保闘争、ウクライナ反戦闘争の戦闘的高揚をかちとるべきまさにこの時に、反戦反安保闘争からも改憲阻止闘争からも召還してしまっている「全労連」指導部のこの腐敗を弾劾し、「全労連」の内部でたたかう革命的・戦闘的労働者は、賃金闘争と同時にこれらの闘いをも下からつくりだすために奮闘するのでなければならない。そしてこの闘争のただなかで「全労連」日共系指導部にたいするイデオロギー的＝組織的闘いを強化し、「全労連」傘下の組合員たちをネオ・スターリニストのくびきから解き放っていこうではないか。

私鉄総連本部・大手ダラ幹どもの超低額妥結弾劾！

岸 辺 学

すべての私鉄労働者たち！

大手私鉄十三企業の資本家どもは、大手回答指定日時の二〇二三年三月十六日の各社の労使交渉において、許しがたいことに物価上昇率にはるかにおよばない超低額の「賃上げ」回答を次々と提示した。東武はゼロ回答、京阪は三〇〇〇円、最高でも六〇〇〇円というしろものである。政府発表でさえ消費者物価上昇率が四%を超える物価高騰が続いているいま、私鉄労働者に実質賃金のさらなる引き下げを強制する以外のなにものでもない。

にもかかわらずこの超々低額回答を、私鉄総連本部・大手諸労組のダラ幹どもは唯々諾々と受けいれたのだ。われわれは彼らダラ幹どもを断固弾劾する！

この超低額妥結によって総連本部・大手諸労組のダラ幹どもは、三月二十三日の回答指定日に向け奮闘している中小私鉄・バス労組の闘いを困難な状況へと追いやったのだ。

「誠意ある回答」と居直る本部ダラ幹

総連本部は「大手組合回答についての見解」（三月十七日付）のなかで、「おおむね全ての大手組合が回答を引き出し、ベアを含めた賃金改善を勝ち取った」「この間、厳しさと不安が増している組合員の期待に応えた回答」である、とぬけぬけと言い放った。ふざけるな！　この超低額回答のどこが「安心して生活するうえで必要な『検討に値する誠意ある回答』」などと言えるのだ！　総連ダラ幹どもは、「賃金・臨時給の削減・抑制など、さまざまな会社施策にたいしても真摯に対応し、産業および企業を守ってきた」、「人への投資」を私鉄資本家に認めさせた、などとうそぶき、賃金削減攻撃に屈服してきたことを恥ずかしげもなく「交渉重視の徹底」の成果としておしだしているのだ！　なんと破廉恥な言辞ではないか！

まさに私鉄大手の二三春闘は、物価上昇分にはるかにおよばない超低額「賃上げ」で妥結し敗北させられた。この敗北の根拠は、第一に、そもそも総連本部ダラ幹が超低額の要求額を掲げたことにある。昨年まで「産業がいまだ回復途上」と主張して掲げなかった「生活回復・向上分」を三年ぶりに復活させたとはいえ、物価上昇分としてわずか二・六％しか要求せず、困窮する私鉄労働者の賃金を大幅に引き上げることなど最初から考えていないしろものであったのだ。

第二に、彼らは、この超低額要求さえたたかいとろうとしなかったことだ。ストライキは「社会的責任が重い」などと屁理屈をならべたて、統一ストライキを構えて交渉に臨むという二〇一三年までの方式に戻ることを拒否しつづけた。「労働者の意地を経営者に見せつける運動を展開せよ」、「『不満な時はストライキ』という言葉を思い出せ」との下からの突き上げを押しつぶしてきたのだ。

第三に、春闘を「産業（企業）の再建」のための労使協議の場へと変質を徹底させてきたことである。これが敗北の最深の根拠にほかならない。私鉄・バス産業は、「感染症の影響を大きくうけた交通産業」であり「回復途上」にあるので、賃上げを要求することよりも「産業の再建」を第一義とすべきという考えに、いまや骨の髄まで染まっているのが総連本部ダラ幹なのだ。彼らは、「産業（企業）の再建」こそが労働者の賃金・労働条件の改善につながると叫びたて、「産業・企業の維持・存続」策や「経営状況」について経営者と「これまで以上に誠意ある」「労使交渉を積み重ねろ」と号令してきたのだ。総連ダラ幹は、いまや労資が協調して生産性向上をはかるというブルジョア的思想に、完全に染めあげられてしまっているのだ。

賃金引き下げ攻撃を徹底する私鉄資本家ども

　大手私鉄資本家どもは、自動車・電機など製造業諸独占体の資本家どもの「回答」をにらみながら〝雀の涙〟ほどの「賃上げ」回答をおこなった。その特徴は、第一に、政府の旅行支援策などにも支えられて私鉄大手企業が軒並み黒字収益を計上するなかでも、徹底した賃金抑制・削減攻撃を貫徹したことである。東武が「賃上げ」ゼロ、他の十二企業が提示した「賃上げ」も、基本給の三%にも満たないものでしかなかった。しかも大手私鉄は、運賃値上げを強行して乗客である労働者・人民からの収奪を強化し、〝アフターコロナ時代の生き残り〟に血道をあげている。彼らはいま、車掌・駅員・保線・事務など大量の私鉄労働者を削減する攻撃をかけてきているのだ。莫大な資金を投じて新たな技術諸形態を運輸労働過程・事務労働過程に導入し、技術化・デジタル化をおしすすめることによって、大量人員削減をはかろうとしているのだ。

　第二の特徴は、十三企業のうち十企業が初任給の引き上げを、五企業が「賃上げ」分を「一律」配分とすることを、おしだしたことである。こうすることによって、わずかな「賃上げ」のなかでも、若年層に賃金を相対的に「厚く」配分することを追求しているのだ。大手私鉄資本家どもは、極限的な状況にまで悪化している「人手不足」の打開と若年層の確保・離職の食い止めを、〝総額人件費〟を圧縮しつつはかる、という策を弄しているのである。この他面で中高年層の賃金については、さらに抑制を強めているのだ。

第三の特徴は、四企業が、わずかではあれ非正規雇用労働者の時間給引き上げと「六十歳以上の再雇用者」の「賃上げ」を回答したことである。

労働人口が減少し、そのうえ私鉄職場の低賃金・長時間労働の苛烈な実態がひろく知れわたるなかで、大手私鉄資本家どもは、こうした労働条件を維持したまま〝人手不足〟を凌ぐために、一定の技術性を備えた「六十歳以上の再雇用者」や非正規雇用労働者の賃金をわずかばかり引き上げ、彼らを超低賃金でさらにこき使おうとしているのだ。

「交通政策要求実現」を掲げての統一地方選埋没を許すな！

私鉄総連本部ダラ幹はいま、総力をあげて四月の統一地方選挙にとりくむために、二三春闘を早期に収拾させようとしている。空前の物価高のもとでの春闘であるにもかかわらず、彼らは、「交渉重視の徹底」による話し合い解決を従来にも増して強調することによって賃金闘争を事実上放棄し、それにかえて政府・自治体の交通政策に〝私鉄産業の振興〟を目的とした「新たな施策の創設」や「地域公共交通確保維持」策などをとりいれてもらうために、「交通政策要求実現」運動を前面化しているのだ。

「国だけではなく地方自治体による支援も重要」であると声を張りあげ、その「支援」策を地方自治体に採用させる〝圧力手段〟として、地方自治体の議員団を創出しようと躍起になっているのである。委員長・木村敬一は「交通政策要求実現」運動こそが重要であると強調し、「今春闘を大きな転換点」とするのだ、と叫びたてているほどだ。「交通政策要求実現」のための選挙運動への埋没を許さず、今春闘を最後までたたかおう！

大幅一律賃上げ獲得！　中小私鉄・バス労働者は最後まで奮闘しよう！

四十数年ぶりの物価高騰に直撃されているにもか

かわらず、私鉄総連本部・大手諸労組ダラ幹どもは、超低額の「賃上げ」回答をただちに受けいれ、大手の二三春闘の幕を引いてしまった。これによって、後に続く中小私鉄・バス労働者の闘いはいっそうの困難を強いられている。

たたかう私鉄の労働者たち！

中小私鉄・バス資本家どもはいま、大手私鉄の超低額妥結をにらみ、それを下回る超低額回答や賃上げゼロ回答を突きつけている。「交渉重視の徹底」の名のもとに「早期解決」を迫る私鉄総連・地連ダラ幹どもの〝オルグ〟と称した恫喝に屈することなく、断固として闘いを継続しよう。これからが正念場だ！

私鉄総連第三回拡大中央委員会（二月）の場で発せられた、「満額、大幅賃上げを勝ちとろう」、「たたかう私鉄再出発の時にしよう」という単組代表の檄に呼応し、大幅一律賃上げ獲得をめざして私鉄統一闘争を最後までストライキ闘争形態をも駆使して戦闘的にたたかおう！

大手ダラ幹どもによって妥結を強いられた大手私鉄でたたかう組合員たちは、所属する単組ダラ幹どもを弾劾し、大手・中小の垣根を越えて闘いをつくりだそう！ 私鉄総連本部の「交通政策要求実現」運動への歪曲を弾劾しのりこえ、大手・中小、正規・非正規、官・民の垣根を越えて、ともに連帯してたたかおう！

プーチンによるウクライナ侵略から一年。二三春闘のただなかで、不屈に戦うウクライナ人民と連帯して、日本の地から＜プーチンの戦争＞を打ち砕く闘いをつくりだそう！ 岸田政権による日米安保同盟の飛躍的強化と憲法改悪と大軍拡への突進という一大反動攻撃を打ち砕く反戦・反安保闘争を創造しよう！

これらの闘いを創造しつつ、われわれ革命的・戦闘的労働者は職場深部から左翼フラクションや革命的フラクションの強化・拡大をどしどしおしすすめ、これを基礎にして労働組合組織の強化をかちとろう！ 私鉄労働運動の戦闘的創造めざして奮闘しよう！

（二〇二三年三月二十二日）

私鉄春闘　総連本部の「交通政策要求実現」運動への歪曲を許すな

南原　裕

私鉄のたたかうみなさん！　今こそ正念場である。全力で二三春闘をたたかおう！

われわれは今、狂乱的インフレの嵐のなかで春闘をたたかっている。政府・独占ブルジョアジーは昨年から何度も何度も電気代、ガス代などの光熱費をはじめ、食料品、ガソリン代などあらゆる生活必需品の価格を次々と引き上げ、今春にもさらに値上げしようとしている。プーチンのロシアによるウクライナ侵略、アベノミクスの円安誘導によってもたらされた原材料や穀物価格の高騰をわれわれ労働者に転嫁することによってのりきろうというのだ。ふざけるな！

うちつづく物価高騰のなかでわれわれ私鉄労働者は貧窮のどん底にたたきこまれている。にもかかわらず私鉄総連本部は、コロナパンデミックの影響をうけた「(交通) 産業はいまだ回復途上」であることを口実にして、要求を低く抑え賃上げ闘争を自制している。「産業の維持・存続」のためには「公共交通の変革の年」とできるように「交通政策要求実現」運動こそが重要だと叫んでいるのだ。

すべての私鉄労働者のみなさん。二三春闘を「交通政策要求実現」運動に歪曲する私鉄総連本部を許さず、大幅一律賃上げ獲得をめざしてたたかおう！　労働者の団結した力で二三春闘の前進をきりひらこうではないか！

1　賃下げ・人員抑制攻撃に狂奔する私鉄資本家

二〇二三年二月八日、私鉄総連本部は民営鉄道協会とバス協会に二三春闘要求書を提出した。許しがたいことに、要求書をうけとった民鉄協は私鉄資本の総意として賃上げどころではないとはねつけた。「コロナ禍で減少した輸送人員や利益をどのように埋めて、将来的に業界を発展させていくのか、大きな岐路に立っている」と危機感をあらわにし、「公共交通の重要性を訴えていく」ことに協力しろと迫ったのだ。ところが、これにたいして私鉄総連本部は、抗議することもなく、「魅力ある産業とするためにも」「賃上げはコストではなく未来への投資」だからお願いしますと哀訴したにすぎなかった。彼ら総連本部は、「感染症の困難をのりこえてきた労使関係をさらに醸成する」ためにも「胸襟を開いた真摯な交渉をお願いしたい」と弱々しく訴えることしかできなかったのだ。

歴史的な物価高騰のなかにあっても私鉄資本大手は、軒並み黒字を計上している。にもかかわらず資本家どもは、「先行きが不透明」などといいながら、われわれ労働者の賃金を上げることなどこれっぽっちも考えてはいない。彼らは、リモートワークなどが定着した今、ＤＸ（デジタル化）、ＧＸ（脱炭素化）を活用したアフターコロナ時代における生き残り競争を開始し、これを実現するために人員削減攻撃にうってでているのだ。

大手私鉄各社では、①相互乗り入れを拡大し交通ネットワークを創出するとともに、②鉄道、バス、タクシー、レンタサイクルなどとのＭａＳ（Mobility as a Service、複数の公共交通や移動サービスを組みあわせた新たなサービス)をつくり移動手段の確保にのりだしている。そして③沿線の店舗などと提携したポイント制度を活用して住民の生活や活動のデータを集積、このビッグデータを活用して沿線エリアに住民を囲いこもうとしている。そしてこれらの事業をすすめるために莫大な資金を投入する大手私鉄資本は、他方で運輸労働過程のデジタル化をつうじて〝ムダ〟とみなした人員の大量削減攻撃をかけてきているのだ。ワンマン運転の路線を拡大し車掌を削減、遠隔操作システムを導入して駅員を削減、車両に保線や検修業務をおこなうシステムを導入して現業労働者を削減。さらに事務部門のデジタル化をすすめ事務労働者を削減するために希望退職の募集などもおこなっているのだ。

こうした追求は地方・中小のバス資本でも同様である。アフターコロナ時代において「交通弱者」である高齢者の移動手段として「ファーストワンマイル(自宅からの最初の移動)を担う地域交通」と称したオンデマンドバスやコミュニティバスが開発され、ここに規制緩和で参入したバス会社や他産業が経営するバス会社が参入してきている。これに危機感をつのらせた私鉄バス資本は、AI(人工知能)を活用したオンデマンドバス会社をたちあげることに資金をつぎこみ、みずからの運行サービスエリアを確保するための施策をおしすすめているのだ。

バス労働者は、新型コロナパンデミック以降の二年間、バス資本による賃金カット、臨時給削減、諸手当の廃止などによって低賃金に抑えこまれ、昨年からの物価高のもとでますます苦しい生活を強いられてきた。そればかりではない。営業所の統廃合や路線廃止、ダイヤの見直しなどによって労働条件や労働環境が改悪され、過酷な労働を強いられてきたのだ。そのため離職者があとをたたず、要員不足の状況はますます深刻となっている。コロナ感染者数が減ってきたとはいえ、罹患者、濃厚接触者となった労働者がいまなお生みだされている。このような状況で運転労働者が足りなくてもバス資本は、「公共交通なのだから運行しろ」と、残った労働者を〝まだまだ働け！〟と酷使し、改善基準告示で決められた最大拘束時間十六時間をも超える労働を強制したりしているのだ。昨年八月に引き起こされた名古屋高速のバス炎上事故を見よ。拘束時間十八時間にもおよぶ長時間労働を何回も強制された労働者が意識を失うことによって引き起こされたこの事故は、悪辣なバス資本によって生みだされたものではないか。

こうしたなかで二月二日、二三春闘方針を決定するために第三回拡大中央委員会(三拡中)が開かれた。参加した単組代表たちは、低賃金・長時間労働を強制され狂乱的物価高のなかで苦しむ私鉄労働者の悲痛な叫びにおされて、この二年間、「産業の維持・存続」を第一義に考え賃上げ闘争を抑圧してきた総連本部ダラ幹にたいして怒りを爆発させ、激しく突きあげた。「不満な時はストライキをという言葉を思い出せ」、「労働組合の存在意義をかけた勝負の年だ」、「二三春闘を『たたかう私鉄再出発の時』にしろ」、と。

この怒りの声においつめられた総連本部は、「この二年間の要求は不満だったと思う」とこたえ、今年は「私鉄春闘の力の見せ所である」とたたかうポーズを示さざるをえなかった。だがあくまでも彼らは、賃上げ闘争と「政策」との「両輪で進めながら難局をのりきりたい」、「交通政策要求実現」運動こそが重要だと主張した。三拡中の冒頭、あいさつにたった委員長・木村敬一は、政府・国土交通省がアフターコロナ時代に対応する公共交通再編成をおしすすめる政策をうちだしたことに飛びついて、今年を「公共交通の変革の年とできるように」したいと語り「交通政策要求実現」運動こそが重要だとゴリ押ししたのだ。

私鉄のたたかう仲間たちは、賃上げ闘争を自制し「交通政策要求実現」運動へと歪曲する私鉄総連本部の犯罪性を暴露し弾劾しながら、今、職場から大幅一律賃上げ獲得をめざしてたたかっている。わが仲間たちは、「この狂乱物価高騰では生活できない」と苦しい生活を実感している職場組合員に、「大幅賃上げをかちとるために統一ストライキでたたかおう」と呼びかけ粘り強く論議しながら職場からたたかう体制を構築しつつあるのだ。

2　〝労使協議を徹底しろ〟と叫ぶ私鉄総連本部

私鉄総連は、二三春闘方針において「物価動向を重視した賃上げで組合員の生活を守る」などと言いつつも、うちだした賃上げ要求は定昇相当分（賃金カーブ維持分）二％＋ベースアップ分（生活回復・向上分）九九〇〇円というものである。昨年まで「産業がいまだ回復途上」だからと主張して掲げなかった「生活回復・向上分」を三年ぶりにベースアップ分として復活させたのだとはいえ、物価上昇分を二・六％しか組みこんでいない超低額要求である。しかも、この要求を実現するために総連本部は、産業の「真の持続可能性を実現するため」に、「産業（企業）の再建」をめぐる〝労使協議〟を徹底しておこなえ、と叫び、傘下の諸労組に号令をかけているのだ。

こうした超低額の賃上げ要求とは対照的に、総連本部が全面的に力を入れているのが、「交通産業の早期回復と事業の安定」をはかるということであり、「事業の維持・存続にむけた新たな施策の創設」や「地域公共交通確保維持」という「交通政策要求実現」運動なのである。具体的には「適正運賃の実現（運賃値上げの早期実現）」や「観光業への支援拡充」、「要員確保と人材育成」などを掲げて政府・国交省にお願いしているのだ。

このように私鉄総連本部がうちだした二三春闘方針は、「産業はいまだ回復途上」と強弁して賃上げ闘争を自制したものにほかならない。

まずもって彼らが今春闘で掲げた賃上げ要求は、きわめて超低額なものではないか。政府の発表する物価上昇率でさえ対前年度比四％を超えるなかで、物価上昇分をわずか二・六％しか組みこまない総連本部の掲げた要求では実質賃金の大幅な切り下げにしかならないのだ。彼らは「傷んだ生活を回復・向上すべく」従来の要求方式にもどしたなどとヌケヌケという。だが、われわれ私鉄労働者を「傷んだ生活」に追いこんだのはいったい誰なんだ。お前たち総連本部が「交通産業の維持・存続」を最優先するための「今年限りの要求」だといって賃上げ闘争を自制し、われわれ私鉄労働者に低賃金を強制してきたからではないのか。

彼らはこの超低額要求を「未来への投資」などという。しかしこのような賃上げ要求の基礎づけは、私鉄資本に生産性向上につながるから労働者に「投資」してくださいとお願いするものではないか。だから彼らは、労働者にたいしては「産業の再建」こそが労働者の生活改善につながるとうそぶき、「産業の再建」のためには〝骨身を惜しまず働け〟〝再建できるまでは賃上げも我慢しろ〟と資本家どもになりかわり強制しているのだ。

そして総連本部は、要求実現のためには「積み上げてきた健全な労使関係のもと、これまで以上に労使が共通認識をはか」ることこそが重要だと強弁し、労使協議の徹底化を声高に叫びたてている。彼らは「人材の確保と定着」が大きな共通の課題だからと私鉄経営者に懇願し、「その解決のためには『人への投資』が極めて重要」だ、と哀訴しているのだ。

このような私鉄総連本部がうちだした今春闘方針の反労働者性は、総連本部ダラ幹どもが、〝産業・企業の維持・存続こそが組合員の生活向上につながる〟というブルジョア的観念にとりつかれていることによって生みだされている。彼らは、いまや「労使運命共同体」イデオロギーに骨の髄までどっぷりと染まっているといわなければならない。

3　大幅一律賃上げをかちとろう！

私鉄の仲間のみなさん！　われわれは、「交通産業の早期回復・事業の安定」を第一義とした私鉄総連本部による闘争歪曲を弾劾しのりこえ、今二三春闘の戦闘的高揚をつくりだすために奮闘しようではないか。

まず第一に、賃上げ要求を低く抑え、アフターコロナ時代の「真の持続可能性を実現するために」私鉄・バス資本家どもとともに考えることこそが重要だと主張して〝労使協議の徹底〟を号令する総連本部を弾劾し、大幅一律賃上げをかちとろう。

私鉄総連本部は、「感染症の影響を大きくうけた交通産業」でありいまだ「回復途上」にあるので、賃上げを要求するよりも「産業の再建」を第一義にすべきだと主張する。そして「社会構造が大きく変化するなかでは」一企業で対応できないなどとほざき、「交通政策要求実現」を声高に叫んでいるのだ。

だが総連本部のすすめる「交通政策要求実現」運動、とりわけ「交通政策要求」のひとつとして掲げる「適正運賃の実現（運賃値上げの早期実現）」なるものは、〝賃上げ原資〟がないと強弁して賃上げを拒否する私鉄資本の主張に屈服し、労働組合が運賃（公共料金）引き上げを要求するものにほかならず、乗客である労働者・人民からの収奪強化を求めるという犯罪的なものではないか。

（今春、私鉄各社は物価高騰に便乗して運賃値上げを強行しようとしている。この運賃値上げで増収をはかりつつみずからの生き残りのためにデジタル化などの設備投資を拡大し、私鉄労働者をますます強搾取しようとしているのが私鉄資本なのだ。）

このように総連本部ダラ幹が〝賃上げ原資〟を増やすために「適正運賃の実現」を、などと主張するのは、賃金を「労働の対価」であり「パイの分け前」であるととらえ、賃金引き上げのためには「パイ」を大きくしなければならない、というブルジョア思想に陥っているからにほかならない。

そもそも総連本部の掲げる「交通政策要求実現」運動なるものは、政府・国交省がすすめる交通政策に、私鉄産業の維持・存続につながる政策を取り入れてもらうことをお願いするものであり、われわれ私鉄労働者の低賃金・長時間労働の現状を打開するものとはなりえないのだ。いま政府・国交省のすすめる「交通政策」なるものは、岸田政権がすすめている日本の産業構造のＤＸ・ＧＸを基軸としたものへの転換、これにみあった交通網の整備でしかないのだ。

そもそも、経済低成長のもとで日本の製造業独占体は、安価な労働力を求めて生産拠点をアジアなどに移転し、国内製造業の空洞化・サービス産業の肥大化をもたらしてきた。この帰結が首都圏などへの人口の集中と地方の過疎化にほかならない。独占資本家どものあくなき利潤追求のゆえにもたらされる産業構造・人口分布のこうした変動にあわせて、「公共交通」とされる鉄道やバスは再編・統廃合がくりかえされ、そのたびにわれわれ交通労働者は解雇・配転・労働強化を強いられてきた。まさに、社会のための「公共交通」といってもこの社会は階級的に分裂した資本制社会であり、「公共交通」とは、あくまでも資本制生産および流通を円滑にすすめるために資本家階級にとって必要な社会インフラでしかないのだ。こうした「公共交通」の維持・再編をはかる政府の「交通政策」にすがることによっては、私鉄労働者の賃金・労働条件を改善することはけっしてできないのである。

「連合」メーデーに結集した私鉄労働者
（４月29日、代々木公園）

われわれは、二三春闘の総連本部ダラ幹による「交通政策要求実現」運動への歪曲をのりこえ、大幅一律賃上げを労働者の団結でかちとろうではないか。

そのためにわれわれは、職場討議や職場での決起集会を実現するとともに、そのただなかで〝私鉄労働者の統一ストライキでたたかおう〟という声を広範につくりだしていこう。一四春闘いこう私鉄総連本部はストライキの事前設定を否定し、〝労使交渉を徹底しておこなえ〟と傘下の単組に強制してきた。このような私鉄総連本部の労資協議路線を批判し、大手と中小の垣根を越えた団結をつくりだし全私鉄の統一ストライキをめざしてたたかおう。そして狂乱的インフレ下にある今春闘においては他産別への波及をもめざして闘いをつくりだそう。かつてオイルショックによる物価高のなかで産別を越えた統一闘争を実現した交通運輸労働者の闘いに学び、今春闘の大爆発をかちとろうではないか！

そして第二に、われわれは私鉄資本家どもがおしすすめる「事業構造の改革」に全面的に協力する総連本部を弾劾し、運輸労働過程のデジタル化をつうじた大量人員削減攻撃に反対してたたかうのでなければならない。バス資本家どもによるダイヤ削減をつうじた人員削減攻撃反対！　希望退職の強要＝首切り、出向・配転・転籍攻撃を打ち砕くためにたたかおう！

第三に、プーチンのロシアによるウクライナ侵略開始から一年。断末魔プーチンは、「三月末までの東部二州制圧」の号令を発し一大攻勢にうってでている。われわれはたたかうウクライナ人民と連帯して、ここ日本の地から〈プーチンの戦争〉を打ち砕く闘いをつくりだそうではないか。プーチンがウクライナ侵攻を開始した直後から、私鉄の革命的・戦闘的労働者は即座に〈プーチンによるウクライナ侵攻弾劾〉の声をあげ、私鉄総連本部にたいして反戦の闘いを組織すべきだと突きあげてきた。これをうけて私鉄総連本部は、ウクライナ侵攻に反対する声明を表明したのであった。昨年のこの闘いをひきついで、断末魔プーチンの侵略軍をウクライナからたたきだすために奮闘しようではないか。

そして同時にわれわれは、「反安保」を投げ捨てた既成反対運動をのりこえ、岸田政権による日米安保同盟の飛躍的強化と憲法改悪と大軍拡という戦後史を画する一大反動攻撃を打ち砕く反戦・反安保闘争を創造しよう。曲がりなりにも〝護憲〟を掲げる私鉄総連本部は、「敵基地攻撃能力」の保有は「専守防衛を大きく逸脱」するものであり、「決して許されるものではない」と一応は表明している。けれども、職場からの反撃の闘いを何一つ組織化しようともしていないのだ。台湾有事を想定して日米が対中国の戦闘体制を準備しつつある今、ここでたたかわずしてどうする！　私鉄における闘いの先頭にたってわれわれは、職場深部から反戦・反安保・反改憲の大爆発をかちとろう！

私鉄のたたかう仲間たち！　私鉄二三春闘の戦闘的高揚を断固かちとろう！

（二〇二三年三月十二日）

全トヨタ労連23春闘
物価高騰と産業再編に抗したたかおう

岩瀬健治

トヨタ系大手・中堅企業の欺瞞的賃金回答弾劾！

大手企業の集中回答日の二〇二三年三月十五日、全トヨタ労連傘下の大手企業および中堅の部品メーカーの労働組合はほとんどが「満額」、あるいはほぼ「満額」に近い回答をうけて賃金交渉を事実上妥結させた。「春の労使協議会」の初日に「満額回答」なるものを経営陣から示されていこう労働者の働き方などの「経営課題」をめぐる協議に終始したトヨタ労組に続いて、トヨタ傘下の大手・中堅企業の労組幹部どももまたトヨタ労働貴族どもにならって「賃金交渉」は早々にきりあげて、「企業が直面する課題の解決」の名のもとに自社企業の生き残り・競争力強化のための労使協議へと交渉の場を変えてしまったのだ。

妥結した金額は「満額」とはいえ、〝高水準〟どころか物価上昇率にさえおよばない。彼ら大手・中堅企業の労組労働貴族は生活苦にあえぐ組合員・労働者の生活など眼中にないのだ。経営陣とともにEV(電気自動車)化の進展の立ち遅れにあせる彼ら労働貴族の眼中にあるのは、資本の生き残りに狂奔するトヨタ資本家につき従ってのトヨタ本体にEV用の部品を安定的に供給できる技術開発と「人材」の確保策だけなのだ。トヨタ本体のもとでEVの部品の開発・製造にのりだした自社の経営陣の意をうけて、「IT人材」獲得や技能労働者の中心となる「人材」を育成・確保するために特定の労働者にしぼって「賃上げ」を図る経営陣に呼応して、「賃金交渉」をはやばやときりあげたのだ。

　コロナ・パンデミックによる恐慌とロシアのウクライナ侵略にともなってひきおこされたサプライチェーンの寸断・混乱（半導体不足など）と全世界的なインフレのもとで、部品下請け企業の労働者は出勤の振替・変則的な長時間労働などを強制されるばかりか賃金も実質上切り下げられてきた。彼らはいまトヨタ労組労働貴族どもに「自企業の経営課題を協議しろ」と強要され、経営陣との賃上げ交渉は難航している。労働貴族どもによる賃金闘争の否定・埋葬を弾劾し、彼らの指導をのりこえ、大幅一律賃上げの獲得をめざして労働者は団結してたたかおう！

（二〇二三年三月十五日）

産業の競争力強化を掲げたトヨタ労組

　一月三十一日にトヨタ労組は二三春闘方針の執行部案を発表した。それは賃金・一時金の要求はそっちのけで、まずもって「議論事項」として、①「産業全体の競争力向上と持続的な成長に向けて」、②「トヨタで働く多様な一人ひとりがこれまで以上にいきいきと働き、能力を最大限に発揮し続けていくために各個人は何ができるのか」を徹底して話し合えという。そのうえで賃金については、昨年と同様に職種・職能資格ごとの十五パターンの要求を掲げた。その最大の特徴は、若手組合員（二十〜三十代の担当事技職・指導職）の引き上げ額が突出して高く設定されていることである（平均は月額九三七〇円、もちろん査定を加味すれば下は数千円から上は一万円超となる）。トヨタ労組執行部は、この要求について、「物価上昇を一定程度考慮していることに加え」「指導職・担当事技職についてはは労働市場の変化も念頭に重点的に配分を行う」ものであり、「また四月以降も労使で産業・企業としての競争力を向上させるための論議を継続的に行う意思を込める」としている。また一時金については昨年の六・九ヵ月分を〇・二ヵ月下回る六・七ヵ月分を「業績を考慮した結果」と称して要求した。

トヨタ労組の今回の要求は、彼らの言う「過去二十年で最高のもの」「賃金水準を上げるもの」などといえるものではない。要求額の三五七〇～九三七〇円（これは平均で、査定が入れば数千円から一万円超になる）は同業他社労組の要求額（ホンダ一万二五〇〇円、日産一万二〇〇〇円、三菱一万三〇〇〇円）と比べても圧倒的に少ない。トヨタの平均賃金からすれば二％そこそこにしか当たらない。過年度物価上昇率が四～五％と予測されるなかで、要求じたいがその半分にも満たない額なのだ。

一時金についてもそうだ。二〇二二年度の利益は二〇二一年度に比べれば若干落ちるもののほぼ同水準の利益が見込まれるなかで、あえて〇・二ヵ月分も要求を下げた。三菱自動車など一部では、生活苦にあえぐ労働者・人民の声をまえにして物価高にたいする特別手当を出さざるをえない企業もでているのに、国内で最高益を得ているトヨタは生活苦にあえぐ労働者には一瞥もしないのだ（だからこそ国内最高利益をあげているのだ！）。トヨタ労組執行部は賃上げの根拠は物価高騰ではなく企業の発展にこそあると公言しているのだ。トヨタ労組の多くの組合員はこの要求案を驚きをもって受けとめた。「これで暮らしはなりたつのか」と。組合執行部は「物価上昇など一時的なことに左右されずにベースを上げていく」「組合員の生活の安心・安定のため長期安定・満額獲得を重視する」と強弁する。だが多くの組合員は腹のなかでは納得はしない。この何十年も組合執行部は「会社と組合は車の両輪。会社の発展が組合員の安心・安全につながる」と組合員に刷りこんできた。だが働く者に犠牲が強制されつづけ悲惨な現実（過労死や自殺）がうみだされてきたのであり、会社経営陣と労組幹部による抑圧の壁は厚いが労働者の熱いマグマがたまっている。

トヨタ自動車は世界的なＥＶ開発競争において後れをとっている。いま世界中で自動車産業ばかりではなく、電機・情報通信業をはじめとしたあらゆる産業でＩＴなどの高度先端技術を習得した労働者の熾烈な争奪戦がくりひろげられており、トヨタは「優秀な人材」が確保できていないと焦りを募らせている。そこで「優秀な人材」確保のために破格の条件（一〇〇〇～二〇〇〇万円、それ以上の年棒）でヘッドハンティングをおこなっている。しかしこのような労働者は既存の雇用条件では獲得できないがゆえに、子会社でまったく別の雇用条件・賃金体系で採用しトヨタに出向勤務させている（今回の若年技術労働者への優遇は、この別会社での特別待遇を夢見させる意味をもつともいえる）。このようにトヨタ資本は莫大な利益をあげ、競争力確保のために「人材確保」に狂奔しているが、多くの労働者は決して自分たちのためになることは何もないことを自覚している。トヨタで働く労働者の怒りのマグマは沸騰しつつあるのだ。トヨタで働く心ある労働者は、今二三春闘を労組執行部をのりこえ断固としてたたかおう！

下請け企業の労働者はたたかおう

トヨタ労働貴族は、全トヨタ労連執行部（会長・鶴岡光行）として下請け企業の労働組合を指導している。そこではトヨタ労組と少し異なるモメントが入っている。彼らは、「会社の発展が労働者の安心。安全を担保する」と語るが、この会社の発展は親企業トヨタの利益活動に寄与することと考えているのだ。彼ら労働貴族は、組合運動もそこに寄与しなければならないと考え、下請け企業労組を指導しているのだ。

トヨタ自動車は下請け企業に毎年春・秋と二回、「原価低減活動のお願い」なるものをおこなう。これはトヨタへの納入部品単価を毎年一～二％下げろという値下げ強要活動だ。トヨタ経営陣は、これを受け入れることを下請け企業の競争力強化の企業努力として評価し、下請けをつづけさせる前提としている。二〇二一年度と二〇二二年度は〈コロナ・パンデミック〉にともなう半導体などの部品不足により減産・増産をくりかえした混乱を理由にこの「原価低減活動」を中止していたが、二〇二三年度から再開する。

今二三春闘がこのトヨタ経営陣がおしすすめる値下げ要求に影響しないようにするために全トヨタ労連執行部は、言葉を選んで下請け企業労組役員を指導している。基本給を底上げする「ベースアップ」という表現は使わずに「改善分」と呼称する。マスコミなどではこれを「ベースアップ相当分」と書くが、内容はまったく違う。資本家の側が労働者の「やる気を出させる」と称して労働者の賃金に格差をつけて、上級職にだけ賃上げをし下級職を賃下げすることも「改善」と称される。また賃上げだけでなく手当てや福利厚生の出費も「改善分」と称されるのだ。実際「〇〇手当」を新設したが数年後には「状況が変わった」として手当の減額・はく奪を策する企業経営者もいるのだ。さらに全トヨタ労連としての統一要求は二一年から三年連続で明らかにしていない。全トヨタ労連執行部は「各社の状況・実力に応じた要求案の構築」をしろと言う。企業業績の悪いところは賃上げゼロはおろか賃下げもやむなしということなのだ。

こうした締め付けのなかで、全トヨタ労連傘下の労組(製造業を中心に一二一労組)は、賃金は「賃金カーブ維持分」と「改善分」の合計の平均で一万二七五一円(前年は六一七〇円)、一時金はトヨタ労組の減額要求の影響をうけながらも五・〇七ヵ月(前年度は五・〇八ヵ月)を要求した。

トヨタの下請け企業は二二年度はトヨタの減産・原材料費の高騰に挟撃され業績悪化・赤字転落のところが多い。さらに全トヨタ労連の抑圧的な指導のゆえに、下請け企業労組役員や多くの組合員は生活苦に落としこめられ悲鳴をあげている。労働者にとって電気代の上昇は異常だ。すでに食費など、削れるところはすべて削った、子供の教育費も泣く泣く削った。この最低限の暮らしですら、電気料金が二倍・三倍と上がり壊されていく。この怒りが全トヨタ労連執行部による賃上げ要求抑圧の壁をじりじりとおしあげ、各労組役員も無視できなくなっている。わが革命的・戦闘的労働者は組合員として何としても大幅な賃上げをたたかいとることをめざしてさらに奮闘しなければならない。

トヨタ自動車の下請け企業で働く労働者の現実は厳しい。トヨタの二〇三〇年に向けたＥＶ化戦略の推進にともなって下請け企業の選別・淘汰がはじまっている。電気自動車になれば、エンジンおよび周辺の部品・マフラーや燃料タンクを生産している企業は仕事を失う。労働者一〇〇〇人以上の〝経営体力〟のある企業は、さまざまな研究開発をおこない生き残りを策している（これもあまりうまくはいってない）。二次・三次の下請け企業は従業員数が三〇〇人以下の規模であり、独自には研究も開発も難しい。より大きな企業からの発注頼りだ。この経営者たちは、「賃上げどころではない」と称して労組のわずかな賃上げ要求さえも一蹴しようとしている。

そんななかで、現場の労働者は大変な局面にたたされている。トヨタ自動車は昨年、コロナ・パンデミック、半導体不足、上海港での物流停滞にともなって何度も生産計画がパンクし、工場の生産停止、増産計画、生産停止をくりかえしている。そして新車の納車が六ヵ月〜一年の遅れが生じてしまっている。トヨタは今年に入って「打てる手はすべてやる」と「大挽回」の生産計画を下請け企業に通達してきた。各社は大慌てでこれに対応している。二月に入って土曜日はすべて出勤、さらに日曜日も出勤、それでも足りないとなるとさらに夜勤に組み入れて対応している。

ＥＶ化への展望が切り開けない中小零細企業による増産ののりきり策は労働者にとって悲惨である。新たな設備投資もせず、人員も補充せず、労働者をフル回転させている。疲弊した労働者は怪我や病気が続発し会社を辞めていくものさえでてきている。こんななかで一部の企業ではこっそりと特別慰労金を支給し労働者をつなぎとめようとしているのだ（これは賃金を上げるというのではなく、一時的なつかませ金だ！）。ＥＶ化以降の企業の存続の展望を見いだせない経営者は、二〇三〇年以降の倒産・廃業・業種転換をみすえて金をためこもうとしているのだ。そのために労働者を消耗品のようにすりつぶすようにこき使っているのだ。

労働者のなかにはそんな経営者の危機意識を察して転職できる若者は会社を辞め、転職が難しいと思われる労働者は〝賃上げなど言い出せない〟と語る労組幹部のもとで困難な状態においやられているのだ。

下請け企業の労働者は三重四重の抑圧に直面して極めて厳しい状況にある。しかし、そうであるがゆえにわれわれは、一歩まえにでてたたかうべきである。物価高騰と産業再編の嵐のなかで、すべての労働者は団結して大幅一律賃上げをかちとろう！　ともにたたかわん！

春闘を「価格転嫁」要請運動に歪曲するＪＡＭ中央

髙松　登

超低額・ゼロ回答をはねのけ大幅賃上げめざして闘おう

ＪＣメタルを構成する各産別の大手企業労組が指定した二三春闘の集中回答日に電機大手十二社や自動車大手八社はすべて「満額」と称する「回答」をおこなった。そうしたなかでＪＡＭ（ものづくり産業労働組合）においてはごく一部の大手企業が「満額回答」したのを除いて、「有額」回答したわずかな企業の回答額は大手企業より一桁少ない一〇〇〇円～五〇〇〇円である。ＪＡＭ加盟組合が存在するほとんどの中小企業の経営者は「電気やガスなどのエネルギー価格の高騰分の転嫁が進んでいない」ことをもってゼロ回答を組合につきつけている。なかには「企業が赤字の危機のとき、賃上げ要求などもってのほか」などという恫喝的言辞をふりかざして、賃上げを要求することじたいをはねつけている経営者も多く存在するのだ。

「満額回答」された大手企業の組合員のうけとる賃金といえども異常な物価高騰のもとでは実質的には切り下げられるばかりだ。「人への投資」の名のもとに「高水準」と称されている賃上げを得るのは、企業の生産性向上や競争力の強化に貢献できると経営者からみなされた者だけなのだ。ましてや、多くの中小企業で働く組合員は、超低額、あるいは賃上げゼロの攻撃にさらされ、うち続く物価高騰のもとで生活苦のどん底へとつき落されてしまうのだ。

いまこそＪＡＭのもとに結集する中小の労働組合の組合員は渾身の力を振りしぼって経営者の超低額・ゼロ回答をはねかえし大幅賃上げをかちとるためにたたかいぬかなければならない。いまごろ「価格転嫁できない実態調査や指針とりまとめを秋ごろまでにおこなう」などとほざく首相・岸田文雄に同調する「連合」会長・芳野友子を弾劾しよう。各職場での賃上げ闘争の組織化を支援するのではなく、政府に「賃上げ」の「環境整備」をお願いし彼らに下駄をあずける会長・安河内賢弘をはじめとするＪＡＭ指導部を弾劾し、のりこえたたかわなければならない。「中小企業では人手不足で賃上げしなければ従業員は辞めていく」とか、「中小の労組が会社と対等な立場で交渉する機会が失われている」とかと、みずからの闘争放棄・無指導を居直り、企業・資本の生き残りをめぐる評論にあけくれるＪＡＭ本部を弾劾し、労働組合の戦闘的強化を追求しつつ最後まで大幅一律賃上げ獲得のためにたたかいぬこう！

（二〇二三年二月十七日）

ＪＡＭ本部は、二〇二三年一月十七日の中央委員会で「二〇二三年春季生活闘争方針」を決定した。会長・安河内はその冒頭挨拶で、「物価上昇分の賃上げが実現していくことを、労使双方が証明していかなければならない」「労務費の上昇分を含めた価格転嫁を実現させなければ賃上げも容易ではない」とぶち上げた。同時に中央委員会では、「価格転嫁『まったなし』特別決議」が「満場一致」で確認された。その内容は二つ、「賃上げ・コスト上昇分の

価格転嫁」と「価値を認め合う社会へ」を「まったなし」でとりくんでいく、というものである。

ＪＡＭ労働貴族は春闘方針において、今春闘にのぞむ〝構え〟として「あるべき水準にこだわった賃上げと価格転嫁の取り組みを進める」ことと、『労働』と『製品』の価値が正しく評価される『価値を認め合う社会へ』の運動を進める」ことを強調している。賃上げについては、「すべての単組が要求を提出し実質賃金の維持・改善をめざす」、具体的には「個別賃上げ要求基準」（三十歳・標準労働者の到達基準〔全単組が到達すべき水準〕＝二七万三〇〇〇円など）、「平均賃上げ要求基準」として「賃金構造維持分四五〇〇円に九〇〇〇円を加え『人への投資』として一万三五〇〇円以上とする」。それとともに、『価値を認め合う社会へ』実現にむけた環境整備など」の政策・制度要求を「運動の両輪として展開していく」とされている。

われわれ革命的・戦闘的労働者は、わずかばかりの賃上げ要求を掲げるにすぎず「企業の付加価値を上げることを含めた単組の課題を積み上げる」と称して春闘を労使協議に解消するＪＡＭ春闘をのりこえ、＜大幅一律賃上げ獲得＞めざして奮闘していこう。

「公正取引」実現要求の前面化

ＪＡＭ中央本部は「賃上げ分を含めた価格転嫁」を春闘要求の軸にしている。ここにＪＡＭ二三春闘方針の第一の特徴がある。

会長・安河内はしきりに訴える。「エネルギー価格は四二％、材料の鉄鋼は三二％上昇したが、最終製品の価格は二・五％しか上がっていない。中小企業とそこで働く労働者が泣きをみている」と。ＪＡＭ労働貴族は〝大企業は空前の利益を上げているが、中小企業の労働者は購買力をなくし生活苦に陥っている。だが中小企業が生き残るためには「企業努力だけでは限界がある」。ものづくり産業は淘汰されてしまう〟と危機感をつのらせ煽りたてている。

彼らは、「日本をもう一度成長軌道に乗せるには賃金を上げる以外に手はない」と叫び、しかしほとんどの中小単組では企業に賃上げの余地はない、と考えている。彼らは、中小企業労働者が低賃金を強いられている問題を、もっぱら商品取引における大手企業による中小下請け企業の「価格転嫁」要請の拒絶という問題にきりちぢめ、中小企業経営者がみずからの利潤率確保のために労働者の賃金を抑えこむという問題を不問に付しているのである。

そこには誰が、どのように労働者を搾取しているのか、を怒りをもって暴きだすことなど埒外なのだ。

賃上げのために、まずもって「公正取引」「価格転嫁」の取り組みを企業経営者にお願いし、そうした企業間の取引ルールをつくり監視してもらうという産業政策を経営者団体の協力も得て政府にお願いするというのだ。そのキャッチフレーズが、安河内がおだをあげている「ものわかりの悪い価格交渉」(自企業の経営者が取引先に価格転嫁を要請すること)であり、それを促すために粘り強く賃上げ交渉をするという内実の「ものわかりの悪い春闘」なのだ。

しかし、実際に労組がやっていることは、経営者に(「公正取引」の努力を謳う)「パートナーシップ構築宣言」に登録してもらうように要請するくらいが関の山なのだ。

二月上旬に経済産業省は、コスト増分の価格転嫁を求める中小企業との価格交渉に後ろ向きの大企業(日本郵便や不二越など)の会社名を公表した。首相・岸田の謳う「新しい資本主義」の「構造的な賃上げ」政策、その「中小企業における、生産性向上、下請け取引の適正化、価格転嫁の取り組み」(一月「施政方針演説」)としてそれはおこなわれた。それは同時に、熱心に「価格転嫁交渉促進の要請」をくりかえすJAMや「連合」の労働貴族を懐にかかえこむためでもある。岸田政権は、GX(脱炭素化)・DX(デジタル化)に精通した二〇〇万人の「高度人材」を育てて経済を復興させようとしている。JAMの労働貴族の本音はこれをうけて中小企業もその流れにのりおくれてはいけないということだ。会長・安河内は平然と言う。「〔JAMの考えることは〕岸田政権が言っていることとそんなに変わらない」(春闘討論集会あいさつ)と。ただ労働組合の産別組織として中小企業、非正規雇用、女性の労働条件の〝不十分さ〟を強調してみせているだけなのだ。今がＪＡＭの訴えてきた「価格転嫁・公正取引」――中小企業の経営改善のためのそれ――を実現していくチャンスだ、と意気込んでいるのがＪＡＭ労働貴族なのだ。

「九〇〇〇円賃上げ」要求の欺瞞

第二の特徴は、「連合」の「三％」という賃上げ要求「指標」に忠実に「九〇〇〇円」を要求基準として掲げたことである。自動車総連が賃上げ（ベースアップ）要求の「基準」（額・水準）を明らかにせず、ＪＣメタルが「六〇〇〇円以上」を賃上げ要求基準として提起しているのに比して、ＪＡＭが九〇〇〇円という数字を掲げたことは、今春闘におけるひとつの特質である。けれどもそれは、本部が傘下の組合員にたいして〝やる気〟があるかのようにおしだすための御題目にすぎない。

昨年十二月に提案した「闘争大綱方針」をめぐる「中央討論集会」では、多くの代議員から疑問や反発の意見が出された。大手労組の労働貴族は、「ＤＸ、ＧＸ、ＥＶ化など変革期を迎え、企業は生き残りに晒されている」（大手労組会議・議長）と叫びたて、そうした課題について労使で話しあうことの方が大切だとほざいた。けれども安河内たち本部役員は、中小労組の「戦闘的」役員につきあげられて、「中小労組の顔」としてのＪＡＭはしっかり賃上げにとりくむという装いを保ったのである。

ところで本部役員どもは中小労組役員のつきあげをかわしつつ・大手労組労働貴族の顔もたてるためには「個別賃上げ要求」方式がもっとも相応しいと考えている。ＪＡＭの賃上げ要求は「格差是正」という基礎づけをもとに「個別賃上げ要求」方式を軸にするとされているが、ほとんどの中小単組は「平均賃上げ要求」方式をとっている（個別賃上げ要求方式をとる労組は三割だ）。とはいえどちらの要求方式をとろうとも、すでに多くの企業で人事考課にもとづく賃金支払い形態が導入されているもとで、個々の組合員の賃上げは大きく差をつけられているのだ。それに輪をかけて、「個別賃上げ要求」としての「あるべき水準を設定」し、その水準を何年かけて到達するかを労使で話しあえという本部方針によって、企業の経営状況と労使関係を「勘案」して・各単組は経営者が受け入れやすいと思われる低い賃上げ要求を設定している。統一要求は形ばかりで、JAMにおいてはとっくの昔に形骸化されているのだ。

　こうした状況のゆえに、JAM本部は賃上げ要求の基準を一応掲げるが、賃上げ要求のねりあげは各単組に任せゆだねている。何のことはない、賃上げ闘争を各単組に丸投げしているだけなのだ。

　しかも賃上げの基礎づけは「連合」にならって「人への投資」とされている。こんにち岸田政権のおしすすめている「産業構造の再編」「高度人材の育成」という産業政策に呼応して、JAM労働貴族もまた「リスキリングとか職業訓練は極めて重要、DXやGXに果敢にチャレンジしている先進的な企業がJAMの進むべき道」（安河内、「ものづくり進化論Ⅲ」）と明け透けに語っている。そうした「先進的な企業」を支える「人材」を確保・育成していくための〝先行投資〟＝「人への投資」として賃上げや教育費の増額をおこなうことが重要というわけだ。したがって、彼ら労働貴族は、経営者が企業の生産性の向上にとって「有能」な労働者の賃金だけを大幅に引き上げて、そのほかの労働者の賃金はそのままか引き下げられることを是認しているのだ。本部役員は「個別賃金は同一価値労働・同一賃金」と説明してきた。その彼らが言う「同一価値」とは〝資本家にとってのネウチ〟ということにほかならない。

　九〇〇〇円というJAMの賃上げ要求は、企業の生き残りのために労働者のモチベーションを上げる〝ニンジン〟として位置づけられているのだ。こんな労働者をたぶらかす賃上げ要求を掲げるJAM中央を許さない。

「価値を認め合う社会」なるもののマヤカシ

「『労働』と『製品』の価値が正しく評価される『価値を認め合う社会へ』の運動を進める」と謳う

ＪＡＭ本部。その「価値を認め合う社会へ」といういかにも響きのよい理念を金看板にして・それを組合員の結集軸にして、混迷きわまるＪＡＭ春闘・ＪＡＭ運動ののりきりを図っているのが、ＪＡＭ本部なのだ。これがＪＡＭ春闘方針の第三の特徴である。

ＪＡＭ中央は二〇二二年十一月に「価格転嫁推進緊急対策本部」を設置し、これを大きく宣伝した。昨年七月の参議院選挙で当選した組織内議員である村田享子ら「ＪＡＭものつくり議員懇談会」とともに厚生労働省と公正取引委員会や業界団体に「価格転嫁の交渉促進の要請行動」を何度もおこなった。また立憲民主党代表・泉健太が国会で質問し、岸田から「価格転嫁は重要、中小零細企業の立場からもしっかりおこなわなければならない」という答弁をひきだした、と宣伝してもいる。

しかしこのＪＡＭ本部の「労使一体となって価格転嫁を実現し、企業の収益力を取り戻す」と称する取り組みは、企業の「収益力」を上げることを目的としたものである。企業の「収益力」すなわち「稼ぐ力」を「労使一体となって」考え・実践するということだ。そのための「単組の取り組み」として呼びかけている「自単組にふさわしい」「自単組の実情にあわせた取り組み」なるものは、具体的には、取引実態を把握するとか・取引にかんする基礎知識セミナー・実践研修（労組と会社による労使実践型の研修）を定着させるということだ。自社の取引改善が労組の職場集会のテーマであり、そのための研修というわけだ。それは、企業の「収益力」を上げるために労働者を職場改善活動にかりたて、生産性の向上を、また受注対応のための勤務形態の柔軟化に労働者を追いこむものなのだ。

こうした反労働者的な方針を考えつくのはＪＡＭ労働貴族どもが、まずもって企業の「賃金原資」なるものを確保するという、賃金をコストとみなす資本家と同様の考えに陥っているからにほかならない。

問題は、中小企業経営者が、「価格転嫁ができない」ことをもって一切の犠牲を転嫁するかたちで労働者に低賃金を強要することを許さず、大幅な賃上げを獲得する闘いを単組・諸産別が団結してつくりだすことをめざしてたたかうことなのだ。中小企業経営者による労働者の搾取という問題を不問に付して政府による「価格転嫁」促進策に依存しそれを尻押しすることに賃上げ闘争を歪め解消し、組合員を企業防衛主義イデオロギーに染めあげるＪＡＭ労働貴族を許すな！

　ＪＡＭ中央は、中小企業振興法や各種条例を天までもちあげその実効性を高めるように政府に――中小企業経営者とともに――要請することが、あたかも〝闘争〟であるかのようにおしだす。それは「かつては『政策転換』とか『構造改革』とかと呼称されてきた既成労働運動指導部の運動路線が純化され徹底化されたものを、その内容面から具体化した方針」であるところの「『制度政策』要求であり『生活改善』要求である」（『賃金論入門』こぶし書房刊、二五二頁）といえる。

　まさしく、「現存ブルジョア政府が実施する国家独占資本主義諸政策を被支配階級のがわから要求するという機能を、そうしたもろもろの改良主義にもとづく労働運動の展開や既成左翼諸政党による提案は果たすことになる。修正資本主義的改良主義が反階級的なものとなるゆえんである」（同二五四頁）。

　われわれ革命的・戦闘的労働者は、既成指導部による賃金闘争の歪曲をのりこえ、〈大幅一律賃上げ獲得〉をめざしてたたかおう。ＪＡＭ労働貴族は「九〇〇〇円」という超低額の賃上げ要求を掲げるのみであり、なんら統一的な闘いをとりくまず、賃上げ闘争を「価格転嫁」要請運動に全面的に歪曲している。われわれは組合員として、〈大幅一律賃上げ獲得〉というスローガンに集約されるわが同盟の闘争＝組織戦術を職場にふまえ具体化し、これにのっとって二三春闘を戦闘的にたたかおう。職場において「大幅一律賃上げ」をめぐり論議をつくりだし、担い手の質を、闘いの質を、団結の質を高め、論議と闘いをつうじて労働組合を戦闘的に強化していこう。これを基礎にしてＪＡＭ労働運動をつくり変えていこう。共にがんばろう！

ＮＴＴ春闘　超低率要求を掲げる本部を許すな

花形哲

ＮＴＴの超低率妥結弾劾！

二〇二三年三月十五日にＮＴＴグループ経営陣は、非正規雇用労働者（契約社員）にたいしては十年連続の月例賃金引き上げゼロを回答した。正規雇用労働者にたいしては超低額の「一人平均三三〇〇円」、しかも査定によって大幅な差をつける成果手当に二六〇〇円で基準内賃金はわずか七〇〇円にしかならない引き上げを回答した。労組本部が低率要求をごまかすためにおしだしてきた一〇万円の「生活防衛」要求にたいしては相手にもせずゼロ回答を振り下ろした。物価の狂乱的高騰で困窮を深めるＮＴＴ労働者の苦境を完全に無視したこの回答は許しがたいではないか！

だがＮＴＴ労組本部・各企業労組本部は、この超低額回答を「昨年より一一〇〇円プラスになった」

「過去九年のうちで最高」であり「持続的賃金引き上げに貢献するものだ」と賛美して即座に受け入れ、妥結したのだ。こんな裏切りが許せるか！　ＮＴＴ労働貴族を絶対許すな！

ＮＴＴ労組中央本部は、正社員の「基準内賃金および成果手当の二％改善」と「組合員の生活防衛への措置として一〇万円（年間）」を柱とする二〇二三春季生活闘争方針を決定し（二月十四日の中央委員会）、経営陣に要求書を提出した。

何と！　この時勢にたった「二％改善」要求とは！　まったくもって労働者を愚弄する要求ではないか！

政府の容認のもとに資本家どもは食料品をはじめとする生活必需品の価格を大幅に引き上げている。四月以降には電気・ガス代が三割以上も引き上げられる。われわれ労働者は、暖房を止め、一日一食、それもカップラーメンで空腹をしのがざるをえないほどに困窮を深めている。このようなときに「二％改善」などという超低率の要求を掲げるのは、労働貴族どもが労働者の窮状を歯牙にもかけていないということだ。許しがたいではないか！

われわれは、ＮＴＴ労組本部の超低率要求を満腔の怒りをもって弾劾しよう！　今春闘を、「ＮＴＴグループの成長・発展」「日本経済の再生」のための労使協議の場へと収斂させんとする本部労働貴族の策動を断じて許すな！　大幅一律賃上げ獲得をめざして、職場深部から二三春闘の戦闘的高揚をつくりだそう！

Ⅰ　事業構造の大再編に突き進む経営陣

ＮＴＴ経営陣は、「新たな経営スタイルへの変革」を唱え〝電話会社からＩＴ企業へ〟を謳い文句に、ＤＸ（デジタル化）・ＧＸ（脱炭素化）を軸とする諸施策を実施している。ＮＴＴ持株会社社長の島田明は、今年の年頭あいさつで今二〇二三年を「ＩＯＷＮサービス元年」と位置づけ、『オールフォトニックス・ネットワークサービス』を三月から開始する」と宣言した。経営陣は、次世代情報通信基盤構想「ＩＯＷＮ」の技術開発をもって「光電融合型半導体」「量子コンピュータ」「宇宙通信ネットワーク」などの軍民両用技術開発を主導し、岸田政権の諸政策を積極的に支えていこうとしている。岸田政権が日本のＤＸ・ＧＸの世界的立ち後れを打開すべく「新しい資本主義」の名のもとに進める経済政策・産業政策をＮＴＴが最先頭で担い支えていくことに、グローバル競争の荒波のなかでＮＴＴ自身の生き残りをかけているのだ。

メーデーのＮＴＴ労働者（４・29、代々木公園）

経営陣は、５Ｇでの決定的立ち後れを挽回すべく次世代通信ネットワーク６Ｇの開発に突進しつつ、トヨタ自動車と提携してスマートシティ建設を、三菱商事と提携して地図情報システム開発を進め、ＮＥＣ・富士通とは６Ｇ・ＩＯＷＮ開発で技術連携・資本提携を強化している。さらに「食糧安全保障」の課題解決と称して「食用コオロギ」の育成、ＧＸ施策の観点から林業への参画をも開始している。

こうした施策は、ＮＴＴの業務変革や制度見直しを基礎にしておしすすめられている。経営陣は、海外におけるグローバル事業の競争力強化のために「ＮＴＴデータ」と「ＮＴＴ Ｌｔｄ．(リミテッド)」の事業を統合した。最新の技術や諸々のデータを一元的に管理し、グローバルな事業展開、新たな領域・分野の開拓を進めつつ事業構造を転換し、同時に海外の優秀な〝デジタル人材〟を確保していくことを企図しているのだ。これらの施策は、岸田政権の進める「経済安保政策」に呼応して進められてもいるのだ(註)。

さらに経営陣は、「働き方改革」と称してリモートワークを基本とする制度＝「リモートスタンダード」を昨年七月に導入した。彼らは、「職住近接」

による「健康経営」とか「ワークインライフ」などとほざいてリモートワーク対象者を三万人から四万人に拡大し、NTT労働者に強制しようとしている。これまでリモートワークが技術的に困難であった「116」電話受け付け部門や「113」故障受け付け部門の労働者にも、リモートワーク・在宅勤務への転換を強要しようとしているのだ。

この他面で経営陣は、業務量の減少を理由にして、「定型業務」と烙印した「116」部門やコールセンター部門、バックヤード部門などで働く多くの非正規雇用労働者や六十歳超の契約社員の労働者たちに「マルチスキル化」と称して多業務のかけもち＝労働強化を強要し、それに応えることのできない労働者をふるいにかけて退職に追いこんでいるのだ。

経営陣はこうした諸施策を強行しつつ、「設備工事・保守業務等」の部門を見直し、「協力会社」を含めた企業グループ全体の業務運営体制の再構築を進めようとしている。「業務の自動化」やDXをおしすすめ、二〇二五年までにグループ会社・協力会社あわせて六万人いる設備系労働者のうち三万人を削減する計画をうちだしているのだ。

このように経営陣は、国内外の競合企業との競争にうち勝つために、事業構造の転換や制度見直しをおしすすめつつ、「人への投資」の名のもとに高度人材の育成・確保に奔走している。経営陣は「デジタル人材」を確保するために、この四月から現行二一万一〇〇〇円の採用給を大学卒で一四％引き上げ二五万円に、また専門性の高い人材の採用給を二七万三〇〇〇円に引き上げるとともに、新たな「人事賃金制度」を導入した。彼らが「人事・人材育成・処遇等の見直し」を謳い、「高度なデジタル人材確保」を目的とすることを露骨に明示しているこの新「人事賃金制度」なるものは、NTT主要会社の賃金支払い（給与）形態を統一し、セールスSE（システム・エンジニア）やデータ・サイエンティストなど十八の職種・専門分野に労働者を分類して「専門性の発揮度」に応じて評価し、昇給・昇格を決定するものである。それは、年次的・年功的要素を徹底的に排除し、労働者をそれぞれの職種の専門的な能力に対応したランクに分類する「ジョブ型雇用」を組みこんだ「ＮＴＴ型雇用システム」なのである。

さらに彼らは、トップクラスの〝高度技術者〟を外部から招聘するために、彼らに高額報酬（年収二〇〇〇万円以上）を保障する「プロフェッショナル」制度を創りだした。どこまでもあくどい経営陣は、その報酬の原資の一部を賄うために、他の労働者たちから諸手当を奪い取ろうとしている。これまで既得権であった扶養手当・職責手当・外勤手当など一切合切の手当を剥奪しようとしているのだ。

こうした労働者に徹底的に犠牲を強いる新「人事賃金制度」を唯々諾々と受け入れたＮＴＴ労組本部を満腔の怒りで弾劾しよう！

Ⅱ 「グループ事業の成長・発展」のための春闘方針

ＮＴＴ労組中央本部は、春闘方針として「ＮＴＴ労組に結集するすべての働く仲間の『底上げ』『底支え』に向け、年間収入の引き上げをめざす」と主張している。彼らは春闘要求の考え方として、〝①持続的な賃金上昇を図る観点、②組合員の生活防衛、③ＮＴＴグループ事業の成長・発展に寄与している組合員の努力と成果、④「中期経営戦略」の具現化を含む今後の事業戦略に対応していくための「人財への投資」等、を総合的に勘案して月例賃金・特別手当等の引き上げにとりくむ〟としている。

具体的には、持株会社をはじめとする主要五社（持株会社・ＮＴＴ東・ＮＴＴ西・ドコモ・データ）の組合員の「基準内賃金および成果手当の二％改善」を求めるとともに、「組合員の生活防衛の措置として一〇万円（年間）」を要求している。主要五社の各企業労組本部は、この中央本部要求にもとづいて、各社の傘下にあるグループ会社などの労働者にかんする「要求を確立する」としている。

「二％改善」要求の反労働者性

本部労働貴族がうちだしたこの「二％改善」要求はあまりにも許しがたいではないか！　四月にも電

気代が三〇％以上も値上げされようとしているなど猛烈な物価高騰のもとで、わずか「二％」という超低率に賃上げ要求を自制することじたいが反労働者的ではないか！

本部委員長・鈴木克彦は、「物価に見合う賃上げがなければ、実質的な賃金は目減りすることから、物価上昇を補う賃上げに〔会社は〕こたえていかなければならない」などとシラジラしく語ったその言辞に続けて、「経営側の経営環境を考慮すべきだ」とほざき低率要求を正当化しているではないか！まさに労働者をバカにした言いぐさだ！

二〇二二年度のＮＴＴグループの決算は、一兆七〇〇〇億円の営業利益を計上した前年に引き続き「増収・増益」の見通しである。にもかかわらず労組幹部は、「個々の事業会社の中では、楽観視できる見通しとは言い難い状況である」と会社経営をおもんぱかり、「会社の財布はひとつである」と語って、〝競争にうち勝つために研究開発や設備投資に金がかかる〟とほざく経営陣の意を下部組合員におしつけている。下部組合員の怒りに冷水を浴びせ、たたかう意欲を削ぐことにこれつとめているのだ。

彼らは「要求の考え方」として許しがたい言辞を弄している。すなわち、「二％要求」を決めたのは、「経営環境や要求の考え方、決着水準を意識」して、「現実的対応として二％改善の要求水準をベースとした」（組合機関誌『あけぼの』）と。〝昨年は「二％改善」要求にたいして「〇・六％の平均二二〇〇円」の妥結であった、要求と妥結が乖離しすぎてはマズイ〟と。今春闘を前にして本部は、経営陣とのあいだであらかじめ決着率（額）をすりあわせたうえで、「要求」をひねりだしたのだ。労組本部に居座る労働貴族どもにとって二三春闘は、経営陣の許容範囲内の低率要求を掲げ、「持続的賃金上昇」の仮象を「労使一体」でつくりだすセレモニー以上ではないのだ！

彼らは「二〇一四年から九年連続賃上げしてきたことを評価」する、などと言いつのっている。だが、正規雇用労働者の賃上げが微々たるものでしかないだけでなく、ＮＴＴグループ全体の労働者の大多数を占める非正規雇用労働者の賃金は十年以上にわたって一円も上がっていない。こういうことは彼ら労働貴族の眼中にないのだ！ 彼らには、低賃金で困窮を深める労働者の生活をかんがみ、改善するために尽力したいという思いは皆無に等しい。

この労組指導部の「二％改善」要求の反労働者性を暴きだせ！

「生活防衛」措置一〇万円のマヤカシ

企業本部指導部は、「連合」の五％要求との対比で、ＮＴＴ労組の「二％改善」要求の方が高いのだと宣っている。ＮＴＴ労組の要求は実際には「定昇二％、ベア二％、一〇万円＝〔月にわりふって〕二・六％でトータル六・六％」なのだから、などとほざいて。だがこのような弁明はまったくもって噴飯ものだ。ＮＴＴの現在の賃金体系には「定期昇給」はない。正社員に年度ごとの「加給」という制度が部分的にあることをもって、あたかも定昇があるかのようにごまかしているのが本部だ。その「加給」なるものは、労働者一人ひとりの総合評価いかんで決まるのであって、「定昇」ではまったくないのだ。

彼らは、「一〇万円」支給の要求については、これを「手当」とはいわず「生活防衛措置」と命名して、「月例賃金改善等」に組みこみ、あたかも月例賃金が上がるかのようにおしだしている。だが、これは明らかに今期限りの一過性の要求にほかならない。このような呼称替えは、彼らが超低率要求へと賃上げを自粛していることの反労働者性をごまかす術策でしかない。労働貴族どもはどこまでも労組員を欺こうとしているのだ。断固糾弾しよう！

Ⅲ　生産性向上に全面協力する本部労働貴族弾劾！　大幅一律賃上げ獲得！

中央本部・企業本部労働貴族は「二三春季生活闘争方針」においてさらに犯罪的なことに、経営陣が進める「デジタル化」「脱炭素化」に全面的に協力することを謳いあげている。彼らは、「NTT事業の持続的な成長・発展」に寄与すべく、事業構造の転換や制度見直しに積極的に協力している。「未来志向に立って対応」するとか「会社の成長発展への寄与」とかを標榜し、そのための「人財への投資」を懇願している。彼らは「第二労務部」よろしく、労働者の苦境をなんら省みることなく、会社のリストラ施策・労務施策にもとづく労働者の配転・労働強化を容認してさえいるのである。

われわれは、経営陣と一体となって賃金抑制攻撃やリストラ施策の実施に全面的に協力している本部労働貴族どもの腐敗した対応を弾劾し、職場から怒りの声を組織し、経営者どもによる労働者へのいっさいの犠牲の転嫁・強要をはねかえす闘いを職場から創りだそうではないか。

わが戦闘的・革命的労働者の第一の任務は、労働貴族の超々低率「二％改善要求」の反労働者性を暴きだし、二三春闘を〝企業の成長発展のための労使協議〟への解消を許さずたたかうことである。同時に、正規・非正規雇用労働者が〝雇用形態の壁〟を超えて団結し、力をあわせて大幅一律賃上げ獲得をめざしてたたかうことである。

第二の任務は、経営陣によるDX・GXを掲げた事業構造の転換による労働者への犠牲強要をはねかえす闘いを創造することである。事業構造を転換するために経営陣は、労働者にRPA（ロボティック・プロセス・オートメーション）技術やデータ統計分析の資格を取得させつつ業務変革・制度見直しをおしすすめている。さらに、「マルチスキル化」による業務の効率化、不採算事業の外注化をおしすすめ、リスキリングなど労働者へ多大な犠牲を強要している。それだけでなく彼らは、「ワークインライフ」を唱えてリモートワークを多くの労働者に強要・拡大している。こうした施策を進めることによって余剰になったとみなした労働者にたいして、配転・出向・転籍・解雇を強制し、残った労働者にたいしては労働強化を強要している。こうした経営陣による攻撃をはねかえす闘いを、それに加担している労働貴族を弾劾しつつ職場から戦闘的に創りだしていこう。

第三の任務は、大軍拡に突き進む岸田政権を弾劾し、日本の軍事強国化、沖縄・南西諸島の軍事要塞化を許さない闘いを大きく創りだすことである。岸田政権による「安保三文書閣議決定」反対！　改憲阻止！　辺野古新基地建設阻止！　ネオ・ファシスト岸田政権の打倒をめざしてたたかおう！　同時にわれわれは、プーチンのロシアによるウクライナ侵略戦争に反対するウクライナ反戦闘争を職場深部から創造しよう。

いまこそ、本部の裏切りを暴きだし、大幅一律賃上げをめざして二三春闘の戦闘的高揚を切りひらこう！　われわれは、二三春闘の闘いのただなかで、職場の深部においてフラクション活動を縦横に展開し、組合内左翼フラクションを確固として創造し強化しようではないか！

すべてのＮＴＴ労働者は、二三春闘勝利のために全力でたたかおう！

註　ＮＴＴ経営陣が「経済安保」のための対政府・対米交渉をいかに重視しているかは、ＮＴＴの経済安全保障担当者に元首相補佐官・柳瀬唯夫を起用していることに示されている。柳瀬は、二〇一五年四月頃に、国家戦略特区の提案前に今治市職員と加計学園当局者が首相官邸を訪問したときに、当時の首相・安倍晋三とともに首相補佐官として三回面談している、「加計疑獄」の張本人である。これが発覚したのちにＮＴＴに天下った柳瀬は、霞が関の官僚人脈や政財界の人脈の多さを買われ、執行役員副社長・事業企画室長（ＣＢＤＯ）となり、ＮＴＴの経済安全保障担当の任に就いたのである。

出版二三春闘の戦闘的高揚をかちとろう

郷本　保

低額妥結を弾劾せよ！

二〇二三春闘は世界が「戦争と大軍拡の時代」に突入し、物価高騰で労働者が呻吟するなかで始まった。出版労連は、国民春闘共闘の統一回答指定日の翌日である三月九日に「第一波統一行動・ストライキ」の一環として総決起集会をオンラインで開催した。ここで労連の中心である教科書共闘の単組の多くが前年を超える回答を得て〝妥結方向〟であると報告された。しかし前年を超えたといっても定昇込み三％以下なのであって、それは物価高騰のもとでは実質的に賃下げにしかならないものだ。こうして第一波統一行動は総決起ならぬ〝低額妥結推奨集会〟と化したのであった。

このような現実は、出版労連本部とりわけ共産党系ダラ幹による賃上げ闘争の放棄というべき方針と指導によってもたらされている。しかしこれに抗して、多くの単組が賃上げを求めて粘り強くたたかっている。われわれは〈大幅一律賃上げ獲得！ 改憲阻止・大軍拡阻止！ ロシアのウクライナ侵略弾劾！＞を掲げて今出版春闘を最後までたたかう決意である。

A　売上げ減少の下で労働者に犠牲を強いる出版資本家

二〇二二年の出版物の売り上げは、紙の出版物の落ちこみをカバーしていた電子コミックの伸びに一気にブレーキがかかり、紙＋電子で二・六％減と四年ぶりの前年割れとなった。紙は大幅に減少し、書店の売り上げはさらに落ちこんでいる。ここに示されているのは、コミックをもちデジタル化の波に乗って電子出版や出版ＤＸ（デジタル化）をすすめ、さらに版権ビジネスと「コンテンツ産業」への変身をとげて好況を謳歌する大手四社（小学館・集英社・講談社・ＫＡＤＯＫＡＷＡ）と、コミックをもたないそれ以外の大手中堅、それらとは無縁の縮小する紙の出版物に依存する中小零細出版社や取次および書店というような、まさにデジタル化の進行にともなう凄まじいまでの産業構造の激変であり、業績の二極化、三極化の進行である。こうしたなかで賃金・労働条件の格差が拡大している。中小零細出版社の倒産・廃業、書店の閉店、取次の業量減少によって多くの労働者が路頭に投げ出されているのである。

出版資本家どもは、このような出版産業の縮小に加えて、紙代、印刷代の高騰に直撃され、これまで以上の長時間労働、労働強化、労務管理強化を労働者に強制することによってこの危機をのりきろうとしている。テレワークの恒常化をも活用して労働者をさらに分断・孤立させながらである。職場は荒廃し、「ハラスメント」が激増している。

取次のトーハンと日販では、二社の物流拠点統廃合＝協業化の動きが止まっているもとで、それぞれが独自に物流センターの再配置や物流センター内の再編、請負会社に非正規雇用労働者への無給の臨時休業や早上がり（「仕事が早く終わった」ことを口実とした退勤時刻の前倒しによる勤務時間の短縮＝賃金カット）を強要させるなど、「流通改革」という名の「リストラ」をすすめている。このように資本家どもは一切の犠牲を労働者に転嫁し、今春闘においても紙代、印刷代の高騰や業量減少を口実に、賃金抑制攻撃にうって出ている。

それだけではない。多くの出版社が、排外主義を煽るヘイト本や軍拡の尻を押す出版物、唯一たたかうわが革命的左翼を誹謗するデマゴギー本を大量に発行し、みずからすすんで権力の広報班となっている。さらに出版文化産業振興財団の理事長になりあがったトーハン社長は、この財団を出版業界の総意を醸成する場と位置づけ、放送や新聞に比して小規模であるがゆえに雑多でまとまりを欠く出版業界を「ワンボイス」にまとめ、自民党書店議連へのロビー活動を強化するという。「出版社のなかには権力と一定の距離を置くという社もある」がそれはナンセンスだとほざき、自民党への接近を宣言しているのだ。自民党もこれを活用して放送、新聞に続きさらにがっちりと出版業界を掌握しようとしている。出版産業総体が、日本型ネオ・ファシズム支配体制のなかに編みこまれているのだ。

闘争放棄を決めこむ出版労連本部

出版労連委員長に、〝労連の組織・運動の衰退を直視し組織拡大に注力しなければ労連の未来はない。優秀な人材を出版産業に確保するためには賃上げ闘争が重要〟と主張する最大単組・小学館労組の前委員長が就任した。しかしこの新執行部のもとでは、組織拡大のための労連未加盟単組訪問・交流が強調されているだけで、労連組織・運動が衰退している最大の要因である弱体化した傘下単組の立て直し・強化の方針はまったく提起されていない。

いま中小零細出版社や書店は経営危機にあえぎ、その経営者は賃下げや解雇、「希望退職募集」と称する退職強要などというかたちで労働者に犠牲を転嫁している。しかし、多くの単組執行部は労連本部に相談することもなく、こうした攻撃を黙って受け入れている。彼らが散発的に労連本部に労働相談に来た場合においても、本部内の共産党系ダラ幹が彼らの「中小企業経営者との共同」路線にのっとって、受け入れ前提の指導をおこなうにすぎない。解雇攻撃の場合にも退職金の上積みを要求する金銭解決を指導するだけなのだ。

出版労連の組織・運動が衰退している根拠は、共産党系ダラ幹による日本共産党の「健全な資本主義発展」論と「中小企業経営者との共同」路線をもちこんだ出版労連中央の〝産業防衛主義〟路線にもとづいた運動づくり、すなわち「産業新生」路線にある。そしてこの路線のもとで組織的には少数の共産党系ダラ幹が書記局を握って具体的な方針をうちだし、出版資本家どもの賃金抑制などの諸攻撃を基本的に受け入れ、まったくたたかおうとしないからなのだ。

「全労連」メーデーに起った出版労働者（5月1日）

それだけではない。かつては「平和は産業の基盤」と称し、憲法とりわけ九条擁護を標榜してきた労連指導部は、九条改憲の危機が迫っているにもかかわらず今や九条は禁句であるがごとく口を閉ざし、出版産業が関係するものとして「言論・出版・表現の自由」だけを問題にする。それは共産党系幹部が、「政治問題にとりくむな」と主張する右翼的な組合員の批判を避けるために、〝「九条擁護」を言うのは「平和は産業の基盤」だからだ〟というように、憲法改悪に反対するのは産業を守るためであるかのように改憲反対の闘いを歪めてきたからなのだ。さらに彼らは「体制が取れない」として平和・憲法にかかわる組合機関をすべて廃止した。憲法改悪の危機が迫っているこの今、改憲阻止の方針もなければ、それを担う組織も存在しないという惨状をさらけだしているのである。

このような本部による闘いの放棄・歪曲に抗して、革命的・戦闘的労働者は組合運動を原則的におしすすめ、憲法改悪阻止やリストラ反対の闘いの最先頭でたたかっているのだ。

B 「産業新生」路線にもとづく春闘の歪曲を許すな！

賃上げ闘争の放棄

出版労連本部は「物価高から生活を守る賃上げを獲得しよう」と「生活防衛」を前面におしだしている。「物価は上がる一方で賃金は上がらず、実質賃金が下がり続ける状況の下での二三春闘」であり、「『賃金そのものを上げていく』ことが重要となります」「『とりわけベアを獲得する』ことが二三春闘の最大のテーマ」であるとし、「労働組合としての真価が問われる春闘であるといえます」という。

しかしまずもって方針案を提起するにあたっての情勢分析が皆無にひとしい。本部は現象としての物価高を言うだけで、その要因が投機マネーの横行や「アベノミクス」による円安にあることを暴露することさえできず、生活苦に追いこまれている労働者の政府や資本家どもにたいする怒りをひきだし、賃上げ闘争への決起を促すことができないのだ。

しかも「〜となります」などと、まるで他人事のように「誰が・いかにして」が欠落した客観主義丸出しの提起しかできない。「労働組合の真価が問われる春闘と言えます」などというスターリニストの常套文句をふくめて、この没主体的表現のなかに今春闘方針を解明するにあたっての彼らの実践的立場の欠如とその反労働者性が浮き彫りにされている。

①超低額の「獲得指標」

出版労連本部は「物価高から生活を守る」として「誰でも定昇込み一〇〇〇〇円以上」の「獲得指標」を掲げた。それは、昨年までの七〇〇〇円をたった三〇〇〇円アップさせただけの超低額要求だ。月額三万円〜四万円の負担増となっている生活の現状からすれば、目と耳を疑うような非実践的な超低額獲得指標に満腔の怒りを禁じえない。

このように低額要求を掲げることしかできないのは、彼らが中小零細出版社の経営状態をおもんぱかっているからなのだ。好況を謳歌する大手四社などを除けば、中小零細出版社が、円安による紙代・印刷代の急高騰や諸経費増の影響から、おしなべて経営不振にあえいでいる。これをみた労連本部は、大手以外は大幅な賃上げには応えられないだろうと忖度したうえで、物価高を考慮してわずかでもいいので賃上げ額を増やしてほしいという賃上げお願い運動に歪曲しているのだ。

②統一したベア要求の放棄

　要求方式は「定昇＋一律ベア」としているが「ベースアップにこだわった要求を」としながら、出版労連としての統一したベースアップ要求額を明示しない「定昇込み一〇〇〇〇円以上」の「賃上げ獲得指標」である。ベースアップ要求額をどうするかは各単組・業種別小共闘まかせなのだ。これでは春闘が出版労連としての産業別統一闘争になるわけがない。しかも賃上げ要求ではなく、定昇込みの「賃上げ獲得指標」ではないか。彼らはあらかじめ闘争の目的と結果を二重写しにしつつ、労働組合としての「賃上げ要求」と、賃上げ闘争の妥結のさいの「落とし所」のようなものを「賃上げ獲得指標」という表現で意図的にあいまいにしているのである。

　しかも「定昇込み一〇〇〇〇円以上」であることは、定昇制度が存在している特定の単組では協定どおり定昇が実施されればそれだけでほぼ超える水準でしかなく、「ベアにこだわる」どころか〝ベアなし〟をあらかじめ容認するものなのだ。このような定昇込みの「賃上げ獲得指標」なるものは産業別の統一要求たりえず、産業別統一闘争を放棄するものである。

　要求の基礎づけについては、「物価高」「生計費原則」がおしだされているが、各単組に範を示すとばかりにおこなった労連主催の模擬団交では、共産党系ダラ幹が組合員役として「ＤＸ投資の重要性はわかるが、人への投資を優先させろ」などと経営者役に迫っている。彼らは「生活防衛」を掲げているが、しかし本音のところでは、「ＤＸ投資か、人への投資か」、と経営政策を対置し協議するものへと春闘を歪曲しようとしているのである。そもそも「人への投資」などと労働貴族と同様の用語を平然と使っているのが、労連中央なのだ。

③非正規雇用労働者の待遇改善の放棄

非正規雇用労働者の要求について本部は、「均等待遇の観点から、企業内最低賃金の『時間額一五〇〇円以上、月額二一万円以上』」への改定を語っているが、具体的に展開されているのは地域別最低賃金の大幅な引き上げが必要だということでしかない。このことは、取次や書店などに多い非正規雇用労働者の当該企業における賃上げ闘争（対経営者の闘い）を事実上放棄し、非正規雇用労働者の賃上げの実現を「最低賃金の引き上げ」と「全国一律最賃制の確立」にゆだね、解消していることを意味する。

④「抗議の意思表示」にまで貶められたストライキ

そして彼らは「いまこそベースアップを」「労働組合としての真価が問われる春闘」と力んだポーズを取ってはいるが、闘争方式・闘争形態はこれまで通りのものが惰性的に提起されているだけだ。第三波まで「統一行動・ストライキ」が設定されているが、一次回答指定日の翌日の第一波総決起集会すらオンラインであり、大衆的な統一行動は皆無なのだ。

それどころか「ストライキは納得できない回答を拒否して抗議の意思を示すこと」などと、ストライキ闘争の意義は腕章闘争や決起集会と同じレベルにまで引き下げられている。じっさい模擬団交では書記長が「明日は就業前に一時間のストで意思統一します」と力んだ。なぜ就業前の時間外集会がストライキなのか？　「抗議の意思を示す」ものであるからそれはストライキだ、ということだ。しかし時間外集会がストライキなら、ストライキは「集団的に労務の提供を拒否すること」「同盟罷業」ではなくなってしまうではないか。

ストライキの意味と意義は「ストライキというものの中に革命のヒドラがはらまれている。従属的な位置にしかいない労働者が生産活動の主体であるということ、社会の主人公がほかならぬ労働者階級であるということが、暴露される」（藤原隆義＝杜学『革命的左翼の思想』こぶし書房刊、四〇六〜四〇七頁）ことにある。このようなストライキの意義がまったくわからない労連本部共産党系ダラ幹は、ストライキを、そして組合運動＝春闘へのとりくみをつうじて、労働組合の組織的強化を追求するという思考がゼロであることを示している。

改憲反対闘争の放棄

さらに春闘方針では憲法について、中国の白紙デモにふれて、言論・出版・表現の自由のない国ではスローガンさえ書けないが、日本では「言論・出版・表現の自由」が憲法で守られている、とふれているだけである。〝中国には自由がなく、日本には「言論•出版•表現の自由」がある！　日本万歳！〟というわけだ。なんという能天気なことだろう。反対運動への弾圧が強化され、テレビから権力批判を口にする人間は一掃されるなど、日本型ネオ・ファシズム支配体制はさらに強化されているのではないのか。まさに共産党系幹部らが、「平和は産業の基盤」というように、憲法問題の核心を産業防衛主義的に歪曲してきた帰結がこれである。

安保三文書による日本の安保政策の大転換や大軍拡についての記述も春闘方針には一切ない。わが革命的労働者をはじめとする下部組合員からの突きあげを受け自己保身にかられて、さすがにこれではまずいと思った共産党系ダラ幹は、方針案の最後のページの片隅に小文字で「憲法を守り活かすため、憲法改悪に反対する諸行動などにとりくむ」と書いた。そしてだれも見ない労連ホームページで、敵基地攻撃能力、安保三文書、軍事費増大が閣議決定で一方的に決められていると批判し、憲法や平和をめぐる動きに注意しようと呼びかけるアリバイ作りをおこなった。さらに臨時大会で「安全保障三文書の閣議決定および軍事費増大に関する出版労連見解」という特別決議をあげた。しかしこのような彼らの見解は、安保三文書反対でも軍拡反対でもなく、その決定の仕方に疑問点や問題点があるとして「閣議決定を白紙に戻し、国会で丁寧な審議をし、必要であるなら選挙で信を問え」というような代物であり、まさに改憲反対、軍拡反対の闘いの議会主義的歪曲であり放棄なのである。

リストラ・首切り反対、労働強化・長時間労働反対の放棄

出版産業の縮小、DXの進展などの産業構造の激変のなかで、賃下げや解雇、希望退職などの諸攻撃がふりおろされ、さらに長時間労働の強要、労働強化や労務管理の強化によって労働者は苦しんでいる。職場が荒廃するなかで「ハラスメント」も激増している。これらが、とりわけ長時間労働は職場や出版労連の運動と組織の衰退の最大要因でもあるのだが、その実態は春闘方針でも年度方針でもまったくふれられていない。したがってこうした攻撃の分析もなければ、それを許してきた出版労連の責任にふれることもなく、これらといかにたたかうかの指針はまったく提起されない。共産党系ダラ幹どもは、出版資本家どもの経営危機をいかにのりきるかという土俵にのっかっているがゆえに、このような攻撃を攻撃として受けとめないし、怒りも感じていない。リストラ・首切り反対、労働強化・長時間労働反対の闘いは完全に放棄されているのだ。

C　大幅一律賃上げ獲得！　大軍拡・改憲阻止！

今春闘におけるわれわれの第一の任務は、いうまでもなく大幅一律賃上げを獲得することである。いま物価高騰、なかでも公共料金、生活必需品の異常な高騰が労働者を直撃している。「定昇込み一万円」という超低額の賃上げ要求ならぬ「獲得指標」を掲げる労連指導部、共産党系ダラ幹を弾劾し、生活の逼迫に苦しむ出版労働者の怒りを結集して戦闘的な闘いをつくりだそう。紙代、印刷代の高騰や業量減少を口実に、賃金抑制攻撃にうって出ている出版資本家どもの攻撃と対決する闘いを大衆的につくりだそう。「査定・評価制度反対」方針を削除した労連指導部に抗して、「査定・評価制度」反対の闘いを創造しよう。「全国一律最賃制の確立」への賃

上げ闘争の解消を許さず、劣悪な労働環境に苦しむ非正規雇用労働者の大幅な賃上げを実現しよう！

賃上げは労働者の団結した力でこそかちとることができるのである。「DXへの投資か、人への投資か」などという経営政策の対案対置への春闘の歪曲を許すな！　賃上げ闘争のただなかで、決起した出版労働者に賃金労働者としての自覚を促し、「賃金奴隷制度撤廃」をめざす労働者をどしどしつくりだしていこう。

第二には、産業縮小を口実とした希望退職募集などの解雇攻撃を粉砕することである。そしてリストラ反対の、労務管理強化や長時間労働反対の闘いをつくりだしていくことである。さらにまた職場で横行する「パワハラ」・いじめにたいする闘いを、それが生みおこされる根源が資本家どもによる労務管理強化や長時間労働やノルマの強要であることを明らかにしながら、これに反対する闘いと結びつけてつくりだそう。

正規雇用労働者と非正規雇用労働者の分断・差別を打ち破り、雇用形態の違いを越えて団結をつくりだそう。書店や取次の非正規雇用労働者への無給の臨時休業や早上がりの強要に、フリーランスへのインボイス制度導入に、反対する闘いをつくりだそう。

第三には、反戦・反安保、改憲阻止、大軍拡阻止、反ファシズムの闘いを創造することである。

岸田政権は「安保三文書」の閣議決定によって安保防衛政策を大転換し、敵基地攻撃能力の保有、「専守防衛」の破棄、大軍拡、軍事費GDP比二%への増額に突進している。さらに「われわれの世代の責任」と称して、軍事費確保のための大増税を強行しようとしている。アメリカの世界戦略と一体化して日米軍事同盟を対中攻守同盟として強化しようとしているのである。

もはや一刻の猶予もならない。出版労連指導部による改憲阻止や軍拡反対闘争の放棄に抗して、広範な労働者を組織し、出版労連のなかから改憲阻止、反戦・反安保、軍拡阻止の闘いを創造していこう。

さらにロシアのウクライナ軍事侵略弾劾の反戦闘争を巻き起こそう。現代世界の戦争の危機を真に突破しうるのは、国境を超えた労働者・人民の国際的な反戦闘争の創造以外にはない。

またマスコミの多くが〈鉄の六角錐〉の一角としてからめとられ、支配階級の宣伝・扇動に努めている。この〈鉄の六角錐〉の内側から、マスコミのファシズム的反動化阻止の闘いを創造しよう。

春闘を戦闘的につくりだすただなかで縦横無尽にフラクション活動を展開し、組合組織と組合員の戦闘的強化を実現しよう。

これらの闘いのただなかで、資本主義の悪がむき出しになり「戦争と大軍拡の時代」に突入している今、物価高騰に直撃され長時間労働と労働強化に苦しむ労働者たちに、みずからの賃金プロレタリアとしての存在とその歴史的使命への自覚を促すイデオロギー闘争を展開しよう。業界特有の「マスコミ人」的職能意識に少なからず汚染されている労働者たちを、そして劣悪な労働環境のもとで貧困にあえぎながら分断され、労働者としての団結・連帯を知らない非正規雇用労働者をともにオルグしよう！

二三春闘の勝利のためにともに奮闘しよう！

郵政春闘の超低額妥結を弾劾する

鳥海　涼

二〇二三年三月十五日、日本郵政の増田経営陣は、物価高騰に苦しむ郵政労働者を足蹴にする超低額回答をおこなった。増田はJP労組本部との交渉の場で、「正社員一人あたり四八〇〇円の賃金を引き上げる」などと大盤振る舞いしたかのように言いなした。だがその内実は、圧倒的多くの地域基幹職労働者にはたった一〇〇〇円の引き上げ、非正規雇用労働者にいたっては一円の引き上げもない。本部が賃金原資を「充当」すると称していた低賃金の一般職労働者には、五八〇〇〜九八〇〇円の賃上げでしかない。こんな低額回答は物価上昇にはるかにおよばない実質上の賃下げではないか。ふざけるな！　そのうえ増田は、本部を抱きこんで「夏期冬期休暇」を削減する合意を取りつけた。会社の利益を確保するために、郵政労働者をできるかぎり休ませず、徹底的にコキ使う姿勢を貫徹したのだ。これら郵政労働者にいっそうの貧窮を強いる経営陣の回答を、交渉の成果ででもあるかのように受け入れたのが本部労働貴族だ。

今二三春闘で本部は、人員削減や退職者の後補充（あとほじゅう）もなく、欠員だらけの職場で、業務に追いまくられ、労働苦を強いられている郵政労働者にいっそう貧困を強いる低額妥結をしたのだ。

そればかりではない。本部は、賃金を低位に平準化させる一般職と地域基幹職の統合や、評価制度・昇給制度などの人事給与制度の改悪、計画休暇の改悪などを早期に実現したい経営陣との労使協議を進めていくと合意したのだ。

いまこそわれわれ革命的・戦闘的労働者は、低賃金を強制する経営陣に本部が呼応して、「事業の持続性確保」を第一義として、「経営改善」の労使協議に終始し低額妥結に応じた彼らの反労働者性を断固として暴きだそう。われわれは、今春闘を本部の低額要求を弾劾しのりこえ∧大幅一律賃上げ獲得∨をめざして下から組合員を組織し戦闘的にたたかってきた。われわれはこの成果をうち固め、六月の定期全国大会で〝妥結不承認〟とするための闘いを直ちに職場生産点からつくりだそう！

I　経営陣の超低額回答とそれを受け入れた本部

郵政経営陣は、二三春闘で以下のような回答を示した。i、正社員一人三一〇〇円相当の財源で賃金引き上げをおこなう。このうち一〇〇〇円は全社員の「賃金改善」分であり、残り一人当たり二一〇〇円を財源として、一般職と地域基幹職の若年層の「賃金改善」をおこなう。ii、非正規雇用労働者の時給単価の引き上げはゼロ。iii、「夏期冬期休暇」の（四日ないし三日）削減をあらかじめ前提とした「会社持ち出し額」と称して、全正社員一律一七〇〇円の賃金引き上げ（これらを含めて初任賃金は一万円以上引き上げる）。iv、正社員の一時金は各社年間四・三ヵ月を支給。v、全社員に特別一時金七万円を（所定労働時間に応じて）支給。

この経営陣の回答にたいして本部は、①特別一時金を含めればトータルで五％以上の「賃金改善」になる。②特別一時金は、物価上昇分として全社員に支給となる。③「賃金改善」分の一部は、「格差是正」分として一般職と地域基幹職等の若年層に「充当」し、一部は正社員全員に一律支給となる。④「夏期冬期休暇」削減にともなう「会社持ち出し額」の十二月支給を四月支給にした。これらを「到達点に達した」などと称して妥結した。

Ⅱ　諸物価高騰のもとでの実質賃下げを許すな！

(1)　地域基幹職労働者はわずか一〇〇〇円

経営陣は、七年連続ベースアップ・ゼロを強いてきたうえに、二十年以上も実質賃金が下がりつづけている多くの地域基幹職労働者に、小学生の小遣いにもならない一〇〇〇円の賃上げを回答した。これを本部は、「全社員の一律の賃上げができた」と、嬉々として受け入れた。ふざけるな！　二月の消費者物価指数は、政府の電気代などの補助を除けば一月と同じ、前年同月比四・三％程度の上昇にもなり、光熱費・公共料金・食料品などが十八ヵ月連続で高騰し、特に生鮮食品を除く食料品が七・八％も値上がりしている。この物価高は、超勤を削減され、毎月の賃金が減りつづけている郵政労働者の生活苦に追い打ちをかけているのだ。にもかかわらず圧倒的多数の地域基幹職労働者には、物価上昇率にはるかに満たないたった一〇〇〇円（〇・三％）の賃上げ回答など、実質賃金の低下に拍車をかけるものでしかない。彼らにどう生活を維持しろというのか！

歴史的な物価高騰は、ロシアによるウクライナ侵略戦争によってもたらされた食料、エネルギー価格の高騰だけではない。日本の場合は、米欧各国がインフレを抑制するために金融引き締めに転じるなかで、唯一日銀だけが、「アベノミクス」の「異次元の金融緩和」策をとりつづけることによって、日米の金利差による三〇％もの急激な円安を招き、石油・食料などの輸入物価を一気におしあげたのだ。

このようななかにあっても〝富裕層〟は、政府の「異次元の金融緩和」策により、さらなる莫大な富を手にした。だが低賃金の郵政労働者は、〝富裕層〟を肥え太らせた政府の「異次元の金融緩和」策によって、凄まじい物価高に見舞われ、困窮を極めているのだ。

それればかりか郵政労働者は凄まじい労働強化を強いられている。経営陣が「この二年間で三万人削減した」、と公言するほどの欠員だらけ・人員不足のもとで労働を強いられているからだ。しかし本部は、組合員の現状には目もくれず「取り巻く事業環境は、更に厳しい」だの「将来にわたってコスト負担となる賃金改善は経営上、非常に厳しい」などという経営陣の主張をわがものとして、物価上昇分にも届かない極めて自制した賃金要求（一人平均九〇〇〇円）を掲げたのであった。しかもこの九〇〇〇円すら獲得する交渉をまったくせず一〇〇〇円の超低額を受け入れたのが本部労働貴族どもだ。われわれはたたかう郵政労働者は、今春闘において経営陣の超低額回答を受け入れた本部を怒りをこめて弾劾する。

(2) 非正規雇用労働者の時給単価引き上げはゼロ

経営陣は、非正規雇用労働者の時給単価引き上げは「現下の厳しい経営状況を鑑みれば困難」だとしてゼロ回答をした。非正規雇用労働者の基本賃金（地域別最低賃金＋二〇円）を低く抑え、スキル評価にもとづく加算給と「正社員登用」というニンジンを目の前にぶら下げて競わせ、会社のために身を粉にして働かせ徹底的にコキ使い、いらなくなったら使い捨てる労務施策を堅持したのが経営陣である。これにたいして本部は、正規雇用の一般職労働者の「登用数を二〇〇人上積み」したことをもって、妥結した。

本部は、そもそも低く抑えられている「地域別最低賃金」が毎年わずかでも上がれば、非正規雇用労働者の時給単価もそれに応じて引き上がるので充分だとしているのだ。これは労働組合として非正規雇用労働者を階級的に組織し、団結して賃上げをたたかいとることを否定するものにほかならない。それればかりか、組合員を分断したうえに、政府の「地域別最低賃金」の引き上げに期待をもたせる反労働者的なものなのだ。

経営陣とこれに呼応する本部によって、非正規雇用労働者は低賃金と激務を日々強いられているがゆえに、募集しても募集人員割れし、募集人員を倍する退職者が出ている。

集配部門では、「土曜休配」が開始され、通常郵便の配達が週六日から五日になり、一日の郵便物量は一挙に増加し日々労働強化を強いられている。特に非正規雇用労働者の大多数は、増加した通常郵便の配達を五日間連続で強いられている。郵便内務の非正規雇用労働者は、人員不足の穴埋めに幾つもの担務を担わされながら、出勤日数や勤務時間まで削減され、収入が激減している。ダブルワークをしなければ生活が維持できない労働者もいるほどだ。物価高騰のなかで、非正規雇用労働者は、体調を崩して休めば直ちに賃金が下がるがゆえに、休むことさえできない。このような彼らの現実には目もくれず、経営陣は非正規雇用労働者を低賃金でコキ使いつづけている。この経営陣に「正社員登用を拡大せよ」というだけで時給単価の引き上げ要求を放棄し労組の側から支えているのが本部なのだ。

「連合」メーデーに決起した郵政労働者
（4月29日、代々木公園）

(3)　一般職労働者の「生活改善」にほど遠い「賃金改善」

経営陣は、一般職と地域基幹職の若年層に一万円以上の「賃金改善」をおこなうと回答した。だが一万円以上の「賃金改善」なるものは、「夏期冬期休暇」を奪い取った「見返り」分の一七〇〇〇円（基本給への組み入れは一六〇〇〇円）を差し引けば八四〇〇円程度でしかない。にもかかわらず本部は、一般職と若年層へ「格差是正」分として「充当」ができたと、成果のごとく受け入れた。こんな低額回答で「物価高の深刻な影響を受けている一般職の生活改善」ができたとでも言うのか。ふざけるな！

郵政グループ各社は、低賃金で劣悪な労働条件を強いる〝ブラック企業〟であることが広く社会に浸透している。一般職労働者の新規募集人員は定員割れ、新規採用や登用した一般職労働者が次々に離職している。一般職労働者の賃金は時間給に換算すると「九四三円」で最低賃金の全国平均の「九六一円」以下なのだ。一般職の基本給は十八歳(一号)で今回の引き上げ分一万三〇〇円を加算しても一七万三九〇〇円でしかなく、二十年働いても一九万一二〇〇円と二〇万円には届かない。社宅から追い出され、住居手当も剝奪されてきた一般職労働者にとって、たった一万円の賃金引き上げでは物価高騰のもとで下がりつづけてきた実質賃金の取り戻しにもならない。

経営陣は、今後P―DX(郵政版デジタル化)をおしすすめる事業運営のために「人材確保・離職防止」の観点から一般職や地域基幹職の若年層の「賃金改善」をおこなっただけで、一般職労働者の生活改善のためではないのである。

会社のこのような雇用・労務施策に全面的に呼応したのが本部だ。正社員全体の賃上げ分を「原資」として一般職に「充当せよ」という本部の要求の形式は、賃上げを労組としてたたかいとることを放棄するものでしかない。そのうえ本部は、経営陣と同様に、多くの労働者の賃金を低位平準化する賃金の一本化に向けて、一般職や地域基幹職の若年層の「賃金改善」を位置づけている。いまこそ、一般職労働者の大幅な賃上げが絶対に必要で、抜本的な待遇改善をかちとるべきなのだ。

(4) 「夏期冬期休暇」削減の妥結を許すな!

経営陣は、「夏期冬期休暇」を集配・郵便部門の正社員には現在の六日付与から四日削減し、郵便局窓口、ゆうちょ銀行、かんぽ生命の正社員には現在の五日付与から三日削減して、夏期冬期各一日の休暇とし、新たに非正規雇用の期間雇用社員を含めて全社員に夏期冬期各一日付与する。この削減の見返りに「全正社員に一七〇〇円」の賃金を引き上げる提案をしてきた。経営陣は、この休暇の削減で労働者の労働日を増やして働かせ、休暇の補充要員を削減し、「見返り分」として支払う賃金以上に人件費を削減できるのだ。

郵政労働者は、どの職場も人員不足で極限的な労働強化を日々強いられ、体調不良になっても計画休暇以外の休暇は取得することが困難になっている。そのなかで「夏期冬期休暇」は確実に取得できる欠くことのできない貴重な休暇なのだ。本部は休暇削減に反対する組合員の声を踏みにじって夏期冬期休暇を「一七〇〇円」で経営陣へ「売り渡し」たのだ。

そもそも本部は、先の中央委員会(二月)で組合員にたいして、夏期冬期休暇について、二三春闘では会社の持ち出し額を含む賃金表の資料を提出させ、論議を継続し全国大会で「承認を求める」としていた。その中央委員会決定を反故にし、休暇削減とひきかえにした一七〇〇円支給を会社の主張する十二月支給を四月から先行実施させることで合意したのが本部だ。にもかかわらず彼らは、「夏期冬期休暇の見直し」は全国大会で「確認し進める」などと、組合員を欺瞞し居直っている。これこそ前代未聞の組合員への裏切りではないか。そのうえ、組合員に黙って受け入れろと迫っているのだ。すべての組合員は、本部の「夏期冬期休暇」の売り渡しを許さず、全国大会で断固否決しよう。

(5) 欺瞞的な七万円の特別一時金

経営陣は、コロナ禍や物価高の対策を名目にして、郵政労働者に今回かぎりの七万円の特別一時金を支給する、と恩着せがましく言い放った。だが彼らは、ユニバーサルサービスの維持を盾にして、コロナ感染が拡大しても感染対策をおざなりにし、感染者が発生しても濃厚接触者の確定を曖昧にして、感染を拡大させてきた。集配・郵便部門では、職場に感染者が広がり、業務が回らなくなれば、症状が軽いとみなした感染者まで出勤させ、コロナ感染下で郵政労働者に一層の労働強化を強いてきた。

他企業の運輸労働者にコロナ手当が支給されても、経営陣は郵政労働者にビタ一文支給しなかった。今頃になって「コロナ禍でも業務運行の確保に尽力した」とか、「近年にない物価高」ゆえに七万円を支給すると経営陣はほざく。これに飛びつき喜んで受け入れたのが本部だ。彼らは一時金四・五ヵ月要求をかちとる交渉をせず経営陣の四・三ヵ月回答をすんなり受け入れ、一時金への積み上げを嫌った経営陣につき従い一回かぎりの特別一時金を受け入れたのだ。

Ⅲ 春闘を「事業の持続性確保」のための労使協議に歪めた本部を弾劾し闘おう

経営陣は、物価高騰のなかで、①定期昇給の実施(二・〇四%)、②賃金改善分として四八〇〇円(一・六二%)引き上げ、その内訳は、全正社員に一〇〇〇円の支給、全社員一人あたり二一〇〇円分を集め、それを原資として、一般職・地域基幹職等の若年層に「一万円以上の改善」、「夏期冬期休暇」見直しに向けた会社持ちだし一七〇〇円、③特別一時金七万円(一・四五%)、これらの妥結を「五・一一%相当の賃上げ」、などと〝大盤振る舞い〟したかのごとくおしだしている。

だが、「定期昇給」や「夏期冬期休暇削減」の見返り分、そして今回かぎりの「特別一時金」はベースアップとは何の関係もないのであり、「五・一一％の賃上げ」などインチキ極まりない主張なのだ。これに呼応したのが「連合」の最大単組の面目を保ちたい本部労働貴族どもだ。「特別一時金を含めればトータルで五％以上の『賃金改善』になる」など経営陣の主張をそのままオウム返しにした。組合員を愚弄するのもいい加減にしろ！

しかも本部は、今二三春闘交渉で、「新たな要員算出標準にもとづく過不足の平準化」、「社内人材の流動化」（会社・部署間の柔軟な異動など）、さらなる人員削減・強制配転を、そして一層の機械化など合理化諸施策の労使協議を進めていくことに合意した。それだけでなく「一般職と地域基幹職等一・二級の統合」の早期実現、昇給制度や退職手当制度などトータルな「新たな人事給与制度」の構築をめざしていくことを経営陣と誓約したのだ。

本部が低額妥結に応じ、合理化諸施策に全面協力するのは、彼らが「会社の収益確保が第一」という考えに陥っているからである。今春闘で真っ先に「郵便料金の適正化＝値上げ」を掲げたのもそのためなのである。だがそれは、郵便利用者である労働者・人民に負担を強いるものであり、物価高に拍車をかける反人民的な要求なのだ。そして組合員を「収益が上がらないと、賃金も上がらない」という考えに染めあげる反労働者的なものなのである。

われわれ革命的・戦闘的労働者は、今春闘の低額妥結を満腔の怒りをもって弾劾しよう。経営陣による賃金抑制攻撃、人事給与制度の改悪反対！　一般職・非正規雇用労働者の抜本的な待遇改善をかちとろう！　夏期冬期休暇の売り渡しを許すな！　「労使運命共同体」思想に冒され、労使協議路線に陥没する本部を弾劾し、ＪＰ労組の戦闘的強化をかちとろう。

われわれは、経営陣に呼応し「会社の持続性確保」を叫ぶ本部の反労働者性を暴きだし、妥結弾劾の闘いをつくりだそう。次期定期全国大会での妥結承認を絶対に許してはならない。ともにがんばろう！

（二〇二三年三月三十日）

郵政春闘　大幅一律賃上げをかちとれ

「事業の持続性確保」のための労使協議への歪曲を許すな

海藤史郎

二〇二三年二月二十日、ＪＰ労組本部は郵政各社経営陣に、①「郵便料金の適正化」②「賃金改善」③「労働力の確保」④「環境整備」の四項目からなる春闘要求を提出した。なんと本部は、組合員の賃金引き上げよりも会社がおこなう「郵便料金の適正化」＝値上げを真っ先に要求したのだ。二の次にされた賃上げ要求は、正社員一人平均九〇〇〇円の超低額要求であり、しかも一般職と若年層に「充当」せよという要求なのだ。本部は、下部組合員の「全体の賃上げ要求」を傲然と蹴飛ばし、組合員の「生活」よりも会社の「収益向上」を優先したのだ。ふざけるな！　今春闘を敗北に導く本部を弾劾せよ！

たたかう郵政労働者の皆さん！　春闘を「事業の持続性の確保」のための労使協議に歪曲する本部を弾劾し・のりこえ、〈大幅一律賃上げ獲得〉めざして二三春闘の戦闘的高揚をかちとろうではないか。

Ⅰ　総額人件費削減に狂奔する経営陣と協力する本部

　食料品や光熱費などの凄まじい高騰・インフレのもとで、郵政労働者はさらなる貧窮を強いられている。だが日本郵政・増田経営陣は、二三春闘では賃上げなどさらさらやる気はない。経営陣は、本部労働貴族を懐深く抱えこみ彼らに「事業の見通しは極めて厳しく賃上げどころではない」などと語らせている。みずからは、超勤削減など徹底的な人件費削減に狂奔している。定年退職者がでても、低賃金と劣悪な労働条件のゆえに一般職や非正規雇用労働者が次々と離職しても、そして新型コロナの陽性者がでても、いっさい後補充をおこなわず、どこの職場でも人員不足を強制しているのだ。

　経営陣の命を受けた現場当局者は、集配労働者に向かって、超勤しなければ配達しきれないにもかかわらず、「超勤しないで配達してこい！」とハッパをかける。超勤して帰局しようものなら「腕が悪い」などと疲れきった体に罵声を浴びせている。それゆえに集配労働者は、休憩・休息さえまともにとれず、時には昼食がとれないほど仕事に追いまくられている。このように経営陣は、コストコントロールと称して人件費削減のために、郵政労働者にただ働きを強要し、〝倒れても働け〟と言わんばかりにコキ使っているのだ。

　そして経営陣は、集配部門の「区画調整」などデジタル機器を活用して業務再編をおこない、「中期経営計画」（二〇二一年）で明らかにした三万五〇〇〇人の人員削減に血道をあげている。郵便・集配部門や郵便局窓口部門では「新たな要員算出標準」にもとづいて必要人員を策定し大量に人員を削減する攻撃をかけている。また普通郵便局（単独マネジメント）では郵便窓口とゆうゆう窓口とを一体化する攻撃を、ゆうちょ銀行では窓口業務と渉外業務を労働者に一体的に担わせる（営業活動を強化しつつ）攻撃をかけてきている。郵政グループ各社は、早期退職募集年齢を五十歳から四十五歳に引き下げ、デジタル機器の扱いや業務についてこれない中高年労働者を職場から弾きだそうとしている。

経営陣は、莫大な資金をつぎこんでグループ各社のいっそうのP―DX（郵政版デジタル化）の推進に血眼になっている。郵便・集配部門では、ドローンやロボットでの配送に向けての試行実施を進め、地域区分局ではAI（人工知能）を活用した無人搬送機を導入、郵便窓口では自動引き受け機の設置局を拡大……等々。

経営陣は、郵便物や窓口取扱件数が減少し減収になっても収益があがるような事業構造にするために、デジタル技術を活用した合理化・業務再編を強行し徹底的に人員を削減しているのだ。彼らは、本部労働貴族を抱きこんで、二三春闘を「賃上げ」よりもリストラ・合理化諸施策の実施をはじめとする「事業改革」のための協議の場にしようとしているのだ。

これにたいして本部は、「事業の持続性の確保」を標榜し、組合員の賃上げよりも、利用者負担を強いる「郵便料金の値上げ」の要求を最初に掲げ、経営陣に全面協力する姿勢を鮮明にしている。本部は「経営状況は厳しい」などと一方的にまくしたて、みずから掲げた超低額要求すらたたかいとる気がない。本部は組合員が参加する春闘行動として「春闘署名」をとりくませているが、ただ集めるものに堕している。彼らは、組合員の切実な声が書かれたその署名を労使協議を支えるためと称して、束にして交渉の場に積みあげるだけなのだ。本部労働貴族は、まさに二三春闘の敗北の道を掃き清めているのだ。

われわれ戦闘的・革命的労働者は、職場生産点から本部の裏切りを徹底的に暴露し、組合員を組織し二三春闘の戦闘的爆発をかちとるべくたたかっているのである。

Ⅱ　本部の超低額要求弾劾！

本部のうちだしている春闘要求と方針は次のとおり。――①月例賃金は社員一人平均九〇〇〇円、時給制契約社員は時給六十円の引き上げ、一時金は四・五ヵ月の超低額要求を掲げた。しかも正社員の

「賃上げ原資」は、一般職や初任賃金など若年層へ「充当」し、時給制契約社員の時給の「引き上げ原資」は正社員登用へ「充当」することを求めた。②「夏期冬期休暇の見直し」は、会社案（削減＝財源持ちだし）をひきだし協議する。③「運動方針」は、労使協議をバックアップする「署名」や「アピールボードアクション」のみで、「会社の持続性確保」のために、「JP労組が考える事業ビジョン案」（以下「事業ビジョン案」と略す）を提言し労使協議する、というものである。

1　組合員全体の賃上げを放棄

(1)　反労働者的な「充当」要求

本部方針の反労働者性の第一は、狂乱物価のなかで生活苦の郵政労働者をバカにした超低額要求で、しかも一般職と若年層への「充当」を掲げ、はじめから郵政労働者全体の賃上げを放棄し、いっさい賃金が上がらない労働者が大量に生みだされる要求であることだ。昨年だけで食料品二万品目超が値上げされ、今年に入って一万品目以上もの値上げが襲いかかっている。特に電気料金など公共料金・光熱費の負担は倍増なのだ。物価上昇の影響をもろに受けている組合員は、生活費を切り詰めるために、やむなく昼食を抜いたり、自前の手作り弁当やカップ麺・菓子パンですましやっと凌いでいる。一九九七年いらい二十年以上も実質賃金が下がりつづけ生活苦に拍車をかけられてきたこのときに、組合員の現状を何一つ顧みず消費者物価上昇率さえ無視して、会社経営陣の賃金抑制に協力しているのが本部なのだ。ふざけるな！

そもそも一般職と若年層に「充当せよ」と要求すること自体が反労働者的である。本部の要求は、地域基幹職の労働者にとっては八年連続ベースアップ・ゼロを強制されることであり、一般職の労働者にとっては微々たる賃上げに甘んじろ、ということなのだ。本部の賃上げの基礎づけが「労働力確保」のためであり「人材獲得競争」に負けないように経営陣を尻押しするものなのだ。

非正規雇用労働者の時給引き上げについても「正

社員登用拡大」への「充当要求」である。本部は、〝正社員をめざさないやつには一円たりとも上げなくてよい〟、政府の最低賃金に連動して上がる仕組みで十分だ、とばかりに物価高の影響を最も受けている非正規雇用労働者を見捨てているのだ。

⑵　事業業績を理由とする賃上げ要求の自制

第二の問題は、本部が掲げている「一人平均九〇〇〇円引き上げ」の要求は、経営陣に迎合し媚びを売る超低額な要求であることだ。誰一人として九〇〇〇円でいいという組合員はいない。

本部ダラ幹は、この要求の理由づけを何一つ明らかにしていない。『連合』方針にもとづき」としか言わない。本部は要求額をできるだけ低くしたいのだ。

本部が超低額要求を掲げたのは、「事業の業績が第一」という考えに陥っているからだ。春闘で「収益確保の方策」は提言するが、労働者の賃上げは自制しているのである。収益をあげるために経営陣がやっていることは、郵政労働者を徹底して安く雇い、職場でとことん働かせ搾りとることだ。本部の方針は、労働者にとっては、より低賃金でいっそう労働強化を強いられる反労働者的なものなのだ。

第三に、経営陣が強行する一時金の引き下げや会社別に支給の異なる回答を容認し受け入れようとしていることである。要求する前から「年収水準の維持」を掲げ、業務関連手当の基本賃金への移管(六六〇〇円)をもって年収の安定化につなげた、などと称して一時金の切り下げに応じようとしているのが本部だ。また、「会社ごとの回答となるステージ」などといいなし会社別に差をつけた回答をあらかじめ容認している。これこそ、労働者の生活破壊であり、格差を拡大し労働者を分断するいがいのなにものでもない。

2　一般職の「賃金改善」の欺瞞性

第四に、一般職の賃上げ要求を「賃金原資」の「充当」に歪曲していることである。本部は、「賃金原資」の「充当」先として一般職の処遇改善を掲げてはいる。あまりの低賃金ゆえに職場から「一般職の処遇改善」の声が巻き起こっているがゆえに、本部は表向きとりくまざるをえない。しかし本部は、組合員の切実な声をねじ曲げて「格差是正」を口実にして、地域基幹職の賃金引き上げを押しとどめるとともに、一般職そのものの抜本的な改善を要求しようとしていないのだ。

一五年に経営陣の人事・労務政策に「多様な働き方」などと唱和し、新人事給与制度の導入の際に超低賃金の一般職制度を積極的に受け入れたのが本部なのだ。いま一般職の初任賃金は一六万三六〇〇円、三十年働いても基本給は二〇万円に達しない。しかも社宅入居もできず、住居手当を受けることもできない。一八春闘いらい本部が、地域基幹職と一般職ならびに期間雇用労働者の「格差是正」と称して、正規雇用労働者（地域基幹職と一般職）の労働諸条件の改悪に応じてきたからだ。このような劣悪さゆえに時給制契約社員のなかには一般職（正社員登用）をめざさない労働者が多数いる。採用予定数の定員割れも起きている。一般職に登用されると営業成績やスキルの向上が求められ、かつ地域基幹職へのコース転換のハードルは高くコース転換を餌にされコキ使われるからだ。そしてなによりも、一般職になると月例賃金が下がってしまい生活ができなくなるからだ。

このような一般職制度を放置して、「労働力確保」の観点からほんの少しばかり賃金を上げてください、などというのは一般職の労働者を低賃金・低待遇に押しとどめておく反労働者的なものなのだ。本部の掲げる「格差是正」と称する一般職への「充当」要求は、「一般職と地域基幹職の基本賃金の一本化」、すなわち賃金を低位に平準化しようとする経営陣の賃金抑制策を尻押しするものではないか。

3 政策提言の反労働者性

本部は、今春闘を「事業の持続性の確保」のために「事業ビジョン案」など政策提言の労使協議に歪めている。本部は、支部・分会にたいして労使協議を支える春闘行動として「春闘署名」と「アピールボードアクション」(写真撮影)の数を上げることだけを提起し、従来おこなっていた決議文採択や朝ビラ配布行動、組合員自宅訪問などはとりやめた。本部は、労働組合として春闘を組合組織を強化するかたちで組合員の意見を吸いあげ賃上げ要求を実現するとか、春闘行動をつうじて組合運動の担い手である組合員を強化することはなんら追求していない。まさに、春闘を組合員の利益を追求しない政策提言にねじ曲げているのが本部労働貴族どもなのだ。

本部の政策提言運動は、本部・地本の役員とごく一部の支部役員でプロジェクトチーム(PT)を形成し内容を検討しているだけなのだ。当局の攻撃に抗して労働条件改善のために積極的に組合運動を担う良心的役員はPTから排除されている。

本部が「財源生み出し」のための「政策提言」に血眼になるのは、彼らが経営陣のふりまく「支払い能力論」にはまりこんでおり、「労使運命共同体(一体)」思想に深々とからめとられているからだ。同時に、「賃金は〔労働力の価値とは無関係な〕労働報酬である」というブルジョア的な考え方をわがものとしているからである。だからこそ本部は、「郵便料金値上げ」や「夏期冬期休暇の削減・廃止」、「通勤手当の縮減」、「郵便窓口とゆうゆう窓口の一体化」などなど、首切り、配転、労働強化につながるような反労働者的な政策提言をしているのである。このような政策提言運動は、組合員をいわば「会社発展」のための道具として機能させ生産性向上に駆りたて犠牲を強いるものなのだ。

本部の政策提言のための運動の反労働者性は明らかではないか。労働組合をますます会社に従属するものに落としこめ、組合員の労働組合への帰属意識の衰退と組合離れの進行をみずから加速させているのが本部なのだ。賃金引き上げは労使協議などではなく労働者の団結した闘いによってかちとるべきものなのだ。

Ⅲ　春闘の歪曲を弾劾し大幅一律賃上げをかちとろう

全国の郵政労働者のみなさん！　本部の超低額の賃上げ要求を弾劾し、今こそ大幅にしかも一律の賃上げをかちとろうではないか。

本部の賃上げ要求は、狂乱的物価高騰のもとでは物価上昇分にも満たない実質賃金の大幅な切り下げしか意味しない。しかも超低賃金の一般職や地域基幹職の若年層などごく一部の社員へ「充当」することを要求し、郵政労働者全体の賃上げを完全に放棄しているのだ。本部は、生活苦に悲鳴をあげている組合員の生活のことはまるで考えていないのだ。ふざけるな！

本部の「充当」要求は、会社が人材獲得競争に負けないように低賃金の一般職や地域基幹職の若年層などごく一部の労働者だけをほんのちょっぴり「改善」してくださいと言うだけなのだ。われわれ戦闘的・革命的労働者は、本部の超低額の「充当」要求の欺瞞性を暴露し、弾劾しよう！　低賃金の一般職と非正規雇用労働者の抜本的な待遇改善をかちとろう。

一時金についても、会社別に差をつけかつ引き下げる経営陣の回答を受け入れようとする本部を弾劾し大幅増額をかちとろう。また、夏期冬期休暇を削減・廃止して、それを財源にしようとしている本部を許さず、夏期冬期休暇の削減に反対しよう。

本部は「シンプルな賃金・手当制度」の構築と称して業務関連手当を基本給に組みこむことを成果としておしだしている。これは会社経営陣による総額人件費の削減への協力しか意味しない。「シンプルな賃金・手当制度」の名による諸手当の廃止・削減反対、人事給与制度の大改悪に反対しよう。郵政のたたかう労働者は、本部の裏切りを許さず、いまこそ郵政労働者全体の大幅でかつ一律の賃上げをかちとろう。

第二に、郵政労働者三万五〇〇〇人の削減に狂奔する経営陣のリストラ・大合理化諸攻撃をはねかえそう！　本部は、「事業ビジョン案」をもって会社経営陣の生産性向上諸施策に労組の側から「補強」提案し支えている。「郵便窓口とゆうゆう窓口の一体化」、「集配区画の調整」と称した、首切り、強制配転、労働強化を許すな！　ゆうパック奪還営業の強要による労働強化に反対しよう！　本部による合理化諸施策への協力を許さず、リストラ・合理化諸攻撃に反対する闘いを創りだそう！

第三に、岸田政権によるネオ・ファシズム的反動諸攻撃に反対しよう。岸田政権は「反撃能力の保有」と称して、敵基地先制攻撃体制の構築や軍事費大増額を盛りこんだ「安保三文書」を閣議決定した。アメリカとともに戦争をする軍事大国に飛躍するために突進している。

しかし、本部は、岸田政権による大軍拡、憲法改悪などの反動諸攻撃にまったく反対していない。彼らは沖縄の平和学習会の開催を一応は指導している。だがそれは、中国、台湾に地理的に近接している沖縄・先島諸島の基地増強・軍事体制強化に何一つ触れない、過去の戦争についての学習会でしかない。たたかう郵政労働者は、本部の抑圧に抗して、台湾を焦点とした米―中の激突、戦争的危機を突破するために、岸田政権による大軍拡・憲法改悪に反対する闘いを職場から創造しよう。

また本部は、岸田政権の公共料金・生活必需品価格引き上げ、大軍拡のための大増税や社会保障費削減の諸攻撃にまったく反対していない。われわれは、労働者・人民に犠牲転嫁する政府の経済政策に何一つ反対しない本部を弾劾し、政府・独占資本家による貧窮の強制を許さず断固たたかおうではないか。

第四に、〈プーチンの戦争〉に反対する闘いを職場からさらに創造しよう。本部は、ウクライナ郵便労組へのカンパ支援活動の継続を呼びかけてはいるものの、決して〈プーチンの戦争〉に反対する大衆的行動を呼びかけてはいない。「大ロシア主義」を掲げてウクライナを組み敷こうとするロシアの軍事侵略と勇敢にたたかっているウクライナ郵便労組組合員を、意図的に「事業を支えている担い手」として描きだしているのが本部だ。郵政のたたかう労働者は、プーチンの侵略に命がけで勇猛果敢にたたかうウクライナ人民と連帯してたたかおう。

郵政労働者の皆さん！　本部の指導している春闘行動は組合員の「春闘署名」だけである。春闘要求の職場討議や意見集約には組合員を組織化せず、会社経営陣との人員削減や生産性向上などの労使協議に明け暮れているのが本部ダラ幹だ。郵政春闘を「事業の持続性の確保」のための政策提言に歪める本部を弾劾し・のりこえ断固春闘をたたかおう。賃金引き上げは労働者の団結した闘いでかちとるのだ。二三春闘を職場生産点から戦闘的に高揚させ、労働組合組織の強化も断固としてかちとろう。

われわれは、物価の高騰、社会保障の削減、賃金抑制に抗してたたかっている全世界の労働者と連帯してたたかおう。本部の超低額要求を弾劾し、いまこそ大幅一律賃上げをかちとろう！

（二〇二三年三月一日）

〔本誌掲載の関連論文〕

・郵政　七年連続のベアゼロ妥結弾劾！　駒形　全　（第三一九号）
・郵政春闘の戦闘的爆発をかちとろう　宇津高倉大　（同）
・賃金・処遇切り下げを提案するJP労組本部　杉山田　攻　（第三一七号）
・「送達日数見直し」「土曜休配」郵政労働者への犠牲強要を許すな　戸津山剛士　（第三一六号）
・郵政労働者を生産性向上に駆りたてる「事業ビジョン案」採択弾劾！　島津郷代　（第三一五号）
・郵政三万五千人削減・大合理化攻撃を打ち砕くために闘うぞ！　真中　悟　（同）

国際・国内の階級情勢と革命的左翼の闘いの記録（二〇二三年二月～三月）

国際情勢

2・1 米FRBが0・25%利上げ決定

▽イギリスの教育・鉄道・公務労働者ら50万人が賃上げを要求しストとデモ（過去10年で最大）。医療労働者ら11万人が賃上げ・増員要求のスト（6日）

2・2 **プーチンがナチス・ドイツとのスターリングラード戦勝利80周年集会で「ロシアの不敗」神話を鼓吹**

2・3 米政府がウクライナに射程150キロメートルのロケット弾を含む21億7500万ドルの追加軍事支援を発表

2・4 **米軍が中国製偵察気球を米南部大西洋上空で撃墜。**その後も小型飛行物体を撃墜。中国は撃墜を非難

▽G7・EU・豪が露産石油製品の価格上限を合意

2・6 トルコ南東部でM7・8の地震が発生。耐震対策を放棄したエルドアン政権の住宅建設促進で被害増大。死者5万人超に（23日）

▽イスラエル軍がヨルダン川西岸でパレスチナ人5人を殺害。イスラエル政府がエルサレム郊外の入植地9ヵ所を「合法」と認定（12日）

2・7 バイデンが連邦議会で一般教書演説、「インフレ抑制の成果、専制国家の弱体化」などを強調

▽フランス全土で年金受給開始年齢引き上げに反対する200万人のスト・デモ。280万人が決起（11日）

▽露外相ラブロフが西アフリカのマリを訪問し軍事協力を合意。9日までにモーリタニア、スーダンも訪問

2・9 EU首脳会議にゼレンスキー参加（ベルギー）、欧州委員長フォンデアライエンが100億ユーロ（1・4兆

国内情勢

2・1 日銀の1月国債買い入れ額が過去最大の23兆6902億円に

2・4 同性婚カップルは「見るのも嫌だ」と発言した首相秘書官・荒井勝喜を更迭

2・6 日産と仏ルノーが資本関係を見直し「対等」な関係にすることで合意

2・7 首相・岸田文雄が出席した「北方領土返還要求全国大会」のアピールで「ソ連による不法占拠」の表現が5年ぶりに復活

▽三菱重工が国産初のジェット旅客機開発事業から撤退と発表

2・8 東京地検特捜部が東京五輪入札談合事件で大会運営局元次長や電通元幹部ら4人逮捕

2・9 岸田が来日した比大統領マルコスと会談。安保協力の拡充にむけた共同声明を発表

2・10 **GX基本方針を閣議決定。老朽原発の敷地内での建て替え、60年超の原発運転を可能にすることなどを明記。**原子力規制委が政府の新原発方針を4対1の多数決で了承（13日）

▽政府が防衛産業を支援する生産基盤強化法案を閣議決定

2・13 安倍銃撃事件の捜査を奈良県警が終了

2・14 政府が日銀総裁に経済学者の植田和男を起用する人事案を国会に提示。植田は金融緩和継続を衆議院で表明（23日）

革命的左翼の闘い

2・2 わが同盟が「改憲・大軍拡・増税反対」を訴え西鉄福岡駅前で情宣

2・4 琉球大学学生会と沖縄国際大学学生自治会が辺野古新基地建設反対「県民大行動」（オール沖縄会議主催、キャンプ・シュワブ前）に決起。「南西諸島の軍事要塞化阻止」を訴える

2・5 **「23春闘勝利！ 労働者怒りの総決起集会」を全国の労働者が結集し実現**（東京、なかのZERO）。第1基調報告「大幅一律賃上げ獲得！ 政府・独占資本による物価値上げ反対！」、第2基調報告「改憲阻止！ 大軍拡反対！ 反戦・反安保の闘いを！」を提起。わが同盟代表が「いまこそ大幅一律賃上げ獲得を掲げ奮闘しよう」と呼びかける。全学連が連帯発言、自治体・交通運輸と沖縄・東海の労働者が決意表明

2・16 鹿児島大学共通教育学生自治会が日米合同軍事演習「アイアン・フィスト」への抗議集会（大分県平和運動センターなど主催、日出生台）に決起。労組員とともにたたかう

2・24、26 **ウクライナ侵略開始一年を期**

円）の輸出禁止措置を含む対露追加制裁を表明

2・12　スペイン首都で医療民営化反対の100万人デモ

2・13　イスラエルでネタニヤフ政権の「司法制度改革」反対の10万人デモ。政府が中断と発表（3月27日）

▽フィリピンが2月6日に南沙諸島の比軍拠点で中国海警局船からレーザー照射されたと中国を非難

2・14　イラン大統領ライシが訪中し習近平と会談

2・15　中国の大連・武漢など複数都市で退職者への医療補助金大減額に抗議するデモ（16日も）

2・17　南アフリカと露・中が合同軍事演習（～27日）

2・18　北朝鮮がICBM「火星15」発射。米韓が米戦略爆撃機と戦闘機の軍事演習（19日）。米韓が北朝鮮の核攻撃を想定した図上演習（22日）

2・20　**バイデンがキーウを訪問しゼレンスキーと会談**

2・21　**プーチンが年次教書演説で「戦争を始めたのは西側」と弁明に終始、新STARTの履行停止を発表**

2・22　豪比国防相会談で南シナ海共同パトロール合意

2・23　G7財務相・中央銀行総裁会議でウクライナ経済支援を390億ドルに拡大する共同声明

▽プーチンが新型ICBMサルマトの年内配備を表明

▽国連総会緊急会合で露の戦争犯罪の調査と訴追を明記した決議採択、賛成141ヵ国、反対7、棄権32

2・24　**中国外務省が露・ウクライナ双方に「停戦と対話」を呼びかける仲裁案を発表**。ゼレンスキーがウクライナの10項目和平案、和平サミットを提唱

2・26　ベラルーシ・ミンスク近郊の空軍基地で爆発、露軍空中警戒管制機A50一機が破壊される

2・27　仏大統領マクロンが西アフリカ駐留仏軍削減を表明、代わって露ワグネルが〃進出〃

▽日本学術会議歴代会長5人が学術会議の独立性尊重を求め政府に改革案の再考を要請

2・15　自動車大手労組が春闘の要求書提出、トヨタは今年も数値示さず

▽5月のG7広島サミットに向けて警視庁が電力・鉄道などへのサイバー攻撃対処訓練

2・16　政府が領空侵犯の気球やドローンを撃墜する自衛隊の武器使用新基準を発表

▽1月の貿易赤字3・5兆円、過去最大

2・17　日本の次期主力ロケット「H3」の打ち上げを直前で中止。3月7日に打ち上げに失敗

▽国内初の日印軍事演習が滋賀県饗庭野で開始

2・18　日本主催でG7外相会合（独ミュンヘン）

2・19　立憲民主党が党大会で日本維新の会との「政策別連携深化」の方針、党内に批判も

▽米日両空軍が北朝鮮ミサイル発射に対抗し軍事演習。北朝鮮は短距離弾道ミサイル2発を日本海にむけ発射（20日）。米日韓が日本海でミサイル防衛共同訓練（22日）

2・21　最高裁が金沢市庁舎前広場での護憲集会「不許可」を「憲法に反しない」と反動判決

2・24　1月消費者物価が前年同月比4・2％増

2・26　岸田が自民党大会で早期の改憲を主張

2・27　岸田が米製長距離巡航ミサイル・トマホークの購入計画数は400発と衆院予算委で答弁

2・28　原発運転60年超容認の「GX脱炭素電源法案」を閣議決定・国会上程

▽2022年の国内出生数が前年比5・1％減で初の80万人割れ

して全国各地で〈プーチンの戦争〉粉砕の闘いに一斉決起。「侵略弾劾！ウクライナ人民連帯！」の国際的共同行動の最先頭でたたかう

＜2・24＞　全学連と反戦青年委員会の首都圏の白ヘル部隊がロシア大使館に向け怒濤の進撃

・首都圏のたたかう学生が「ウクライナに平和を」集会（さようなら原発実行委、総がかり行動実行委主催、日比谷野音）に結集、大衆的闘いを放棄する日共を弾劾し労働者一千名とともにデモ。わが同盟が「ウクライナ反戦闘争の全世界的高揚を」と訴える

・全学連九州地方共闘会議と福岡反戦青年委員会が「〈プーチンの戦争〉を打ち砕け！　九州労学アピール行動」に決起（福岡市）。先立つ17日、わが同盟が西鉄福岡駅前で情宣

・奈良女子大学学生自治会と神戸大生の会がロシア総領事館前で怒りの拳（豊中市）。「ロシアはウクライナから撤退せよ」集会（しないさせない戦争協力関西ネットワーク主催、大阪市）に結集し労働者・市民とともにデモ

・琉大学生会と沖国大自治会が那覇市内でウクライナ反戦を呼びかける檄

・わが同盟が金沢市武蔵ヶ辻で、全学連北信越地方共闘会議が香林坊で情宣

2・28 米国務長官ブリンケンがカザフスタンで中央アジア5ヵ国外相と会談。大統領トカエフとも会談
3・1 訪中したルカシェンコと習近平が会談
3・5 中国全人代が開幕。政府報告で23年のGDP目標5%、軍事費7・2%増。習近平を国家主席に3選（10日）。新首相に政治局常務委員の李強（11日）
3・7 仏で年金制度改悪反対の大規模スト、350万人がデモ。マクロン政権が法案を強行採決（16日）
3・9 バイデンが24会計年度の予算教書を議会に提出、国防費が前年度比3・3%増の8864億ドルに
3・10 **イランとサウジアラビアが中国の仲介で外交関係を正常化することで合意し北京で共同声明発表**
▽豪首相アルバニージーが訪印し首相モディと会談、対中防衛・経済協力強化を合意
▽利上げ下で米シリコンバレー銀行が破綻。破綻した米銀2行の預金を全額保護と金融当局が発表（12日）
3・12 モルドバ首都キシナウで親露派が反政府デモ
3・13 豪アルバニージーがバイデン、スナクと米で会談、豪が30年代に米製原潜5隻を配備と発表
▽米韓が5年ぶりの大規模合同演習「フリーダム・シールド」を開始（〜23日）。北朝鮮への上陸演習「双竜訓練」を3・20〜4・3に実施。済州島沖で米空母ニミッツなど6隻参加（27日）
3・14 黒海上空で米空軍無人機MQ9が露空軍戦闘機2機に妨害をうけプロペラを損傷し公海上に墜落
3・16 ポーランド大統領ドゥダがウクライナにミグ29 4機を供与すると発表。スロバキアがウクライナにミグ29を13機供与と発表（17日）

▽ワグネルなどへの新たな対露制裁を閣議了解
3・3 志賀原発敷地内の断層は「活断層ではない」とする北陸電力の主張を原子力規制委が了承。従来の判断を覆す
▽保釈時にGPS端末を装着させる制度などをもりこんだ刑事訴訟法改定案を閣議決定
3・5 陸自が開設予定の石垣島の駐屯地に自衛隊車両を搬入。16日開設
3・7 総務省が放送法の政治的公平性をめぐる安倍政権の介入を記した行政文書を公開。当時の総務相・高市早苗は「捏造」と居直る
▽健康保険証廃止・マイナンバーカードとの一体化にむけマイナンバー法改定案を閣議決定
▽難民認定申請中の人々の送還を可能とすることを柱とした入管法改定案を閣議決定
▽1月実質賃金が前年同月比4・1%減、10ヵ月連続で低下、14年5月以来の低水準
3・8 1月経常収支が1兆9766億円の赤字、85年以降で最大
3・9 衆院憲法審査会で自民党が緊急事態の定義など8項目の論点を整理
▽北朝鮮が黄海に短距離ミサイル6発を発射。14日には日本海にミサイル2発を発射
3・13 東京高裁が「袴田事件」の再審開始決定
▽政府が新型コロナ対策のマスク着用の目安を緩和、原則として「個人の判断」に委ねる
3・15 「連合」会長・芳野友子の要請で「政労使会議」を8年ぶりに開催。岸田が「構造的

＜2・26＞ 全学連北海道地方共闘会議と反戦青年委員会が「侵略弾劾！ プーチン打倒！」のかけ声でロシア総領事館に向け雪の中を進撃（札幌市）
・全学連東海地方共闘会議と名古屋地区反戦が「プーチンの戦争を打ち砕け」の意気高く名古屋市栄を戦闘的デモ。わが同盟が若宮広場前で情宣
・琉大学生会と沖国大自治会が「島々を戦場にするな！ 緊急集会」（同実行委主催、那覇市）で「大軍拡阻止」「ウクライナ反戦」を呼びかけ、労働者・市民1600名とともにデモ
2・28 鹿大共通教育自治会が鹿児島中央駅前でウクライナ反戦のアピール行動
3・3 わが同盟が「春季生活闘争勝利！ 中央総決起集会」（「連合石川」主催、金沢市）で「大幅一律賃上げ獲得」を呼びかける檄
3・4 琉大学生会と沖国大自治会が辺野古現地の「県民大行動」（オール沖縄会議主催）で奮闘、「南西諸島要塞化阻止」を訴える
3・5 奈良女子大自治会と神戸大生の会が「さよなら原発関西アクション」（同実行委主催、大阪市）に結集、「原発・核開発反対！ 大軍拡反対！」を掲げたたかう

▽北朝鮮がICBM「火星17」を発射
3・17 国際刑事裁判所がプーチンに逮捕状。ウクライナ占領地域の子供の露への連行を戦争犯罪と認定
3・18 ウクライナからの穀物輸出の再延長を4者が合意、延長期間は露が60日、ウクライナが120日を主張
3・19 スイス金融最大手UBSが経営危機の同2位クレディ・スイスを買収と発表
3・20 **中国・習近平がプーチンの要請で訪露**(～22日)。「ウクライナ和平で建設的役割を果たす」と表明
3・22 米FRBが銀行破綻連続下で0・25%利上げを決定(9回目、0・25%は3回目)
3・23 EUがウクライナに今後1年間で100万発の弾薬供与、20億ユーロ規模の兵器共同調達を確認
3・25 プーチンがベラルーシに戦術核兵器配備を表明
3・26 米副大統領ハリスがアフリカのガーナ・タンザニア・ザンビア歴訪、経済協力・投資促進を表明
▽ホンジュラスが台湾と断交と発表(中国と国交樹立)
3・27 台湾前総統・馬英九が12日間訪中
3・28 日本海で露軍が超音速巡航ミサイル発射訓練
3・29 蔡英文が訪米の後、グアテマラ・ベリーズ訪問へ
▽ミャンマー軍政がスーチーの国民民主連盟を解党
3・30 米主導の民主主義サミット閉幕(29日～)、参加120ヵ国、共同宣言への署名は73ヵ国
▽NY大陪審がトランプの起訴を決定(不倫関係の女性への口止め料をめぐる不正会計処理容疑)
▽プーチンが春の14・7万人徴兵の大統領令に署名
▽**トルコ議会の承認でフィンランドNATO加盟決定**
▽中国が国際経済会議ボアオ・フォーラムを開催

賃上げ」実現への協力を要請
▽**春季労使交渉の集中回答日。製造業の8割が物価上昇率に及ばない低率の「満額回答」**
3・16 来日した韓国大統領・尹錫悦と岸田が会談、「日韓の関係正常化」で一致。徴用工問題の「解決策」を履行すると尹が明言
3・17 日銀の国債保有割合が22年12月末に52%
3・18 独首相ショルツが訪日し岸田と会談。政府間協議で「経済安保」協力を確認
3・20 岸田がインド訪問、首相モディと会談。岸田は「自由で開かれたインド太平洋」実現へ新たな推進計画を発表
3・21 **岸田がキーウを訪問、ゼレンスキーと会談**。ロシアの侵略を「最も強い言葉で非難する」という共同声明
3・23 東芝が国内投資ファンドJIPの買収提案の受け入れを決定
3・24 2月消費者物価指数が前年同月比3・1%上昇。生鮮食品を除く食料は7・8%上昇
3・28 23年度予算が成立。一般会計114兆円で過去最大、防衛費は6兆8219億円
3・30 公正取引委が企業向け電力供給カルテルを結んだ中部・中国・九州の各電力会社に独禁法違反で1010億円の課徴金支払いを命令
3・31 政府が中国を標的に先端半導体製造装置など23品目を輸出規制の対象に加えると発表
▽主要食品メーカー195社が4月に前年同月比4倍の5千品目を値上げと調査会社が発表

3・6 わが同盟が「春季生活闘争総決起集会」(「連合大阪」主催、大阪市)で情宣
3・10 わが同盟が「春季生活闘争勝利!全道総決起集会」(「連合北海道」主催、札幌市)で情宣
3・11 鹿大共通教育自治会が「ストップ川内原発! かごしまパレード」(鹿児島市)で「原発・核開発阻止」を掲げ400名とともに市内をデモ
3・12 沖縄県学連と県反戦労働者委員会が「〈プーチンの戦争〉を打ち砕け!南西諸島の軍事要塞化反対!」の統一行動に決起、那覇市国際通りを席巻
3・18 奈良女子大自治会と神戸大生の会が「とめよう! 戦争への道 関西のつどい」(同実行委主催、大阪市)に結集。労組員・市民団体500名とともに市街をデモ
3・19 金沢大学共通教育学生自治会が「大軍拡増税に反対する集会」(市民アクションいしかわ主催、金沢市)で奮闘。「米日共同の敵基地先制攻撃体制の構築反対」を掲げ労働者・市民の先頭でデモ
▽わが同盟が「さよなら原発」集会(さよなら原発! 北九州連絡会主催、北九州市)で情宣

『新世紀』バックナンバー

No.324 2023年5月	No.323 2023年3月	No.322 2023年1月	No.321 2022年11月
ウクライナ反戦、大軍拡阻止に起て 〈プーチンの戦争〉粉砕／「大祖国戦争」神話／改憲・大軍拡阻止／分断と荒廃のアメリカ／大幅一律賃上げ獲得／反戦反安保の闘いを／自動車春闘／電機春闘／原発運転期間延長／日本のエネルギー安保／汚染水放出／40年廃炉の破綻	**戦争の時代を革命の世紀へ** 世界大戦の危機を突破せよ／全世界からメッセージ／政治集会特別報告／「安保三文書」弾劾／「リスキリング」／現代世界経済／中共第20回党大会／ウクライナ軍・人民の戦い／「神戸事件」／反革命=北井一味を粉砕せよ（第七―八回）	**大軍拡阻止、〈プーチンの戦争〉粉砕** 断末魔プーチンのあがき／ウクライナ全土へのミサイル攻撃／SCOサミット／改憲・大軍拡阻止、ウクライナ反戦を／貧窮強制を許すな／安倍の「国葬」弾劾／プーチンの大ロシア主義／反革命=北井一味を粉砕せよ（第四～六回）	**改憲阻止、ウクライナ反戦に起て** 安倍「国葬」を許すな／ウクライナ軍・人民の戦い／労働戦線から改憲阻止を／反戦集会の成功かちとる／国際反戦集会基調報告／海外の左翼からのアピール／半導体戦争／愛大での自治破壊粉砕の闘い／反革命=北井一味を粉砕せよ

新 世 紀　第325号（隔月刊）

日本革命的共産主義者同盟 革命的マルクス主義派 機関誌©

発行日　2023年6月10日

発行所　解 放 社

〒162-0041　東京都新宿区早稲田鶴巻町 525-3

電話 03-3207-1261　　振替 00190-6-742836

URL http://www.jrcl.org/

発売元　有限会社 K K 書 房

〒162-0041　東京都新宿区早稲田鶴巻町 525-5-101

電話 03-5292-1210　　振替 00180-7-146431

URL http://www.kk-shobo.co.jp/

ISBN 978-4-89989-325-7　C0030